MERCHED Y CHWYLDRO

MERCHED Y CHWYLDRO

GWENAN GIBBARD

Am ragor o draciau gan ferched Cymru'r
60au a'r 70au, gwrandewch ar y casgliad
Rhannu'r Hen Gyfrinachau,
Sain SCD2778

Dyddiad cyhoeddi: Tachwedd 2019
© Cyhoeddiadau Sain
ISBN: 978-1-910594-73-5

Cyhoeddwyd gyda chymorth ariannol gan
Gyngor Llyfrau Cymru.

Gwnaed pob ymdrech i ganfod deiliaid
hawlfraint y lluniau a geir yn y gyfrol
hon a dylid cysylltu â'r cyhoeddwyr gydag
unrhyw ymholiadau.

Clawr a dylunio: Almon

Cyhoeddiadau Sain
Canolfan Sain, Llandwrog, Caernarfon,
Gwynedd LL54 5TG
www.sainwales.com | sain@sainwales.com
ffôn 01286 831.111

Diolch arbennig i'r merched sydd wedi bod
mor barod i rannu eu profiadau, eu straeon,
eu hatgofion a'u lluniau.

Diolch yn fawr hefyd i'r canlynol am eu cymorth wrth baratoi'r gyfrol:
Rosalind Owen, Rhys Jones, Dafydd Iwan, Dafydd Roberts a phawb
yn Sain, Iwan ap Dafydd (Llyfrgell Genedlaethol Cymru), Dan Griffiths
(Archif Sgrin a Sain, Llyfrgell Genedlaethol Cymru), Bedwyr ab Iestyn,
Geraint Davies, Dyl Mei, Mici Plwm, Llinos Roberts, Martin Davies
(Soul XP), Simon Thwaite (Casglwr Recordiau Gwynedd), Rhys Morris,
Charles Yorke, Pwyll ap Siôn a Bethan Brown.

Diolch yn fawr i Huw Meirion Edwards am ei ofal a'i gymorth parod
wrth olygu'r gyfrol.

Am yr hawl i gynnwys lluniau a delweddau, diolch yn fawr i:

Urdd Gobaith Cymru (Cylchgrawn *Hamdden*),
Llyfrgell Genedlaethol Cymru (Casgliad Geoff Charles),
Raymond Daniel ac Eurof Williams (casgliad lluniau Raymond Daniel),
Elma Phillips a Ceri Davies (Cylchgrawn *Asbri*), Gwilym a Megan Tudur
a'r holl labeli recordio.

Er cof am Mari Griffith a Nia Hughes, a fu farw eleni,
a hefyd am ferched pop eraill y 60au a'r 70au sydd bellach
wedi ein gadael. Diolch.

Gwenan Gibbard

... o bell ffordd! ... Hopkin ... tri cyd-
... Noson ... yng Nghymru daeth ...
... Ponter/artistiaid newydd i'r ...
... mwy a mwy, o gan ...
Mr L H ... mraeg yn curo'r drws ...
... Morgan ... ehangach nag a ...
... ymlaen ... Cymru – canwyr ...
... Jones, Linda Jenkins ...
... fu yna erioed ...
... yng Nghymru, ond yn ...
... opera a'r corau, ...
... mwy a mwy ohonynt ...
... nawr i ganu bonia ...
... 'Dyw uchelgais y ...
... dim mwy na chyr ...
... cyn Uchaf y Cymro, ond ...
... safon uchel yn bwrw golygon tua ...
... meic ... Cana Coc...
... a chynulleidf... yw Nia Hughes ... Fel...
... ddangos am ... Elw...
... res o bedair ...
... Disc a Dawn ...

1960-1967

Cyffro newydd
y pops Cymraeg

Cymru, 1960: dechrau degawd newydd a dechrau un o'r cyfnodau mwyaf cyffrous o ran diwylliant cerddorol y genedl. Dyma gyfnod a welodd ddatblygiadau enfawr ym myd adloniant cerddorol a chyfnod a welodd bobl ifanc ein gwlad yn amlygu eu talentau ac yn creu eu harddull unigryw, Gymreig eu hunain o ganu a diddanu. A'r merched? Wel, roedden nhw yng nghanol y bwrlwm!

Bu'r noson lawen yn fodd i ddiwallu anghenion cerddorol a chymdeithasol y Cymry ers diwedd yr Ail Ryfel Byd, a Triawd y Coleg, Bob Roberts Tai'r Felin, Triawd Tregarth a sêr eraill y cyfnod yn hynod boblogaidd a llu o bartïon noson lawen fel Bois y Frenni, Parti Min Menai ac yn ddiweddarach Bois y Blacbord a Meibion Menlli yn teithio ledled Cymru i ddiddanu mewn eisteddfodau, nosweithiau llawen a chyngherddau mewn cannoedd o neuaddau pentref a festrïoedd capel ar hyd a lled y wlad. Bu sawl merch amlwg yn serennu hefyd yn y cyfnod yma – Peggy Edwards (Aberystwyth), Sassie Rees a pharti arloesol Adar Tregaron.

Ond roedd newid ar droed a synau newydd, cynhyrfus yn cyrraedd clustiau pobl ifanc Cymru drwy ffilmiau apelgar y sinemâu, drwy donfeddi hwyrol Radio Luxembourg, drwy ryfeddod y teledu a thrwy'r *jukebox* yn y cabanau coffi lle roedd "caneuon roc a Motown" yn llenwi'r lle a "blas y mwg yn y coffi". Nid pawb oedd yn croesawu'r dylanwadau estron yma ac roedd rhai yn ofni y byddai hamddena a sipian coffi wrth

1

ymgolli yn y canu swnllyd, Seisnig, yn siŵr o arwain bechgyn a merched glân Cymru ar gyfeiliorn, fel y croniclwyd yng ngherdd dafod-ym-moch Leslie Harries yn y cylchgrawn *Blodau'r Ffair*:

> Daeth cysgod sydyn dros ein gwlad
> A sŵn a drygsain lle bu cân;
> Aeth miwsig peraidd Handel mwy
> Yn grygni cryndod grŵp ar dân,
> Ac yn fy mhen mae sgrechen cras
> Rhyw hogiau Nedw'n rhedeg ras!
>
> A minnau yno'n syllu'n syn
> Wrth set deledu – dyma stop
> A hogyn hirwallt, trowsus tynn
> Yn lloerig actio'i ganu pop;
> Ac yna ferch, yn hanner noeth
> Yng nghrafanc llym y mydrau poeth!

Ond os oedd y Gymraeg am oroesi fel iaith fyw pobl ifanc Cymru ac iaith bob dydd eu diwylliant a'u cymdeithasu, rhaid oedd derbyn y canu newydd yma, ei groesawu a'i feddiannu. Bu cryn drafod ar y pwnc yn *Y Cymro* ar ddechrau'r 60au:

> Cystal i ni sylweddoli na fedr yr un ohonom atal dylifiad y diwylliant pop i Gymru. Ond gellir, gyda thipyn bach o ofal a bwyd llwy, roi iddo fynegiant Cymraeg, i fyny at ryw bwynt beth bynnag. Gwneler hyn cyn iddi fynd yn rhy hwyr... Does dim dwywaith amdani nad yw'r hyn sydd gan y bechgyn hyn, a grwpiau tebyg iddynt, yn ateb rhyw 'angen' neu ysfa yn ein llanciau a'n llancesi... Efallai nad ydym ni'r rhai hŷn yn cymeradwyo nac yn deall beth bynnag ydyw, ond yn amlwg ddigon, fe fynn ein pobl ifanc ei gael...

Cyn dechrau'r 60au fe gydiodd y canu sgiffl yma yng Nghymru, ac yn fuan iawn daeth Grŵp Sgiffl Llandegai, sef Hogia Llandegai yn ddiweddarach, Hogia Bryngwran a nifer o 'hogia' eraill i'r amlwg gan ddiddanu cynulleidfaoedd gyda chyfieithiadau Cymraeg o ganeuon enwog rhai fel Lonnie Donegan yn ogystal â ffefrynnau Cymreig mewn gwisg 'sgifflaidd' ac ambell i gân wreiddiol. Mae'n wir mai'r hogia neu'r dynion oedd fwyaf blaenllaw ddiwedd y 50au ac roedd llu o grwpiau hogia drwy'r wlad. Ond roedd pethau'n dechrau newid a merched yn gyffredinol yn dod fwyfwy i'r amlwg. Yn Ewrop ac America roedd materion a hawliau merched yn cael llawer o sylw. Daeth ffasiwn yn bwysicach a'r Gymraes Mary Quant yn cynnig cyfle i ferched wisgo trowsus. Yma yng Nghymru gwelwyd arwyddion o'r ymwybyddiaeth newydd hon o rôl merched mewn cymdeithas – yn Abergynolwyn yn 1960 cynhaliwyd 'Eisteddfod y Merched', eisteddfod a drefnwyd gan ferched a merched yn unig yn cymryd rhan. Lansiwyd cylchgrawn newydd i ferched o'r enw *Hon* dan olygyddiaeth Mary Ellis ac ar Fawrth y 1af, 1960, am y tro cyntaf erioed, dewisodd *Y Cymro* wraig i'w hanrhydeddu ar Ŵyl Ddewi, sef Nansi Richards.

Ym myd y canu sgiffl hefyd daeth merch i'r adwy, merch a fyddai'n datblygu i fod yn gantores amlwg yng Nghymru a thu hwnt. Helen Wyn, Tai Newyddion, Talybont, oedd y gantores, sef Tammy Jones yn ddiweddarach, un a oedd yn benderfynol o wneud argraff o'r cychwyn ac mi wnaeth. Fe'i magwyd ar aelwyd gerddorol. Roedd ei mam yn gantores a'i thad yn chwarae'r organ geg, ac wedi pasio'r grefft honno ymlaen i'w fab, Now, un o Hogia Llandegai yn ddiweddarach wrth gwrs. Yn ddeuddeg

Helen Wyn a'r Tonics

oed, enillodd Helen gystadleuaeth dalent yn Lloegr ac yn ei harddegau enillodd wobrau lu mewn eisteddfodau am ganu gwerin a cherdd dant. Yn 1960, a hithau'n un ar bymtheg oed, dechreuodd fynd o gwmpas i ganu gyda Grŵp Sgiffl Llandegai, ac yn un o eisteddfodau ieuenctid y cylch, tua 1962, wedi iddi ennill ar y gystadleuaeth cân bop, y gofynnodd I. B. Griffith, trefnydd ieuenctid Sir Gaernarfon ar y pryd, iddi gymryd rhan mewn rhaglen radio. Roedd Meredydd Evans hefyd yn westai ar y rhaglen ac mi soniodd amdani wrth Ruth Price, a oedd yn

gynhyrchydd rhaglenni plant efo'r BBC, a chafodd wahoddiad i ganu ar y rhaglen *Clywch Clywch*. Dechreuodd ganu gyda grŵp trydan Y Tonics ac yn 1965 rhyddhawyd record ganddynt ar label Welsh Teldisc, un o'r recordiau yn y gyfres newydd Pops y Cymro, a'r grŵp bellach wedi newid eu henwau o'r Tonics i fod yn Hebogiaid y Nos. Roedd llais pwerus a heintus Helen Wyn yn morio canu cyfieithiadau Cymraeg o rai o ganeuon pop enwog y dydd yn sŵn newydd i'r Gymru Gymraeg, a daeth llwyddiant sydyn i ran y ferch o Dalybont. Ymddangosodd ar lu

3

Aled a Helen Wyn

o raglenni radio a theledu'r cyfnod, mewn cyfresi fel *Telewele, Tipyn o Fynd, Ffwrdd â Hi, Caban Pren, Hob y Deri Dando* a *Cocacabana*. Rhyddhaodd record o ganeuon plant a record hefyd o ddeuawdau gydag Aled Hughes, un rhan o'r ddeuawd hynod boblogaidd ar y pryd, Aled a Reg. Roedd y recordiau yma, a ryddhawyd yn 1965 ac 1966, fel chwa o awyr iach ym myd cerddorol Cymru. Hyd yma recordiau o unawdwyr, cymanfaoedd canu, caneuon gwerin a cherdd dant a chorau yn unig roedd y labeli Cymreig yn eu rhyddhau, ac eithrio ambell record o ganeuon

ysgafn poblogaidd y nosweithiau llawen gan rai fel Bois y Blacbord. Yn sicr, doedd yr un Gymraes wedi canu fel hyn o'r blaen.

Ceir hanes diddorol ar glawr cefn ei record gyntaf amdani'n canu ar ei gwyliau yn Ynys Manaw:

Roedd miloedd o Saeson ar wyliau yn Ynys Manaw fis Awst diwethaf yn gwirioni'n lân wrth glywed llais newydd ym myd y pop ganeuon yn atseinio fel cloch drwy'r neuaddau dawnsio yno. Mae'n sicr fod clywed y pops arferol yn cael eu canu yn Gymraeg yn ychwanegu at y wefr, ond y gwir yw fod y cynulleidfaoedd yn gweiddi'n wyllt am gael clywed llais bachgennaidd cryf y gantores fach benfelen o Gymru drachefn a thrachefn.

Y band oedd band enwog Ivy Benson, y band merched a arbenigai mewn cerddoriaeth *swing*, a chofia Tammy sut y cafodd wahoddiad go arbennig ganddi:

Dyma hi'n cynnig *job* i mi fynd ar *tour* efo'r band a dyma fi'n deud, wel, dwi'm yn gwybod os byswn i'n cael mynd, rhaid i chi ofyn i mam, a mi ddoth hi adra i Tai Newyddion, Talybont, a mi welodd hi mam a mi ofynnodd, mi fysa ni'n licio tasa'r ferch yma'n cael dod efo ni ar *tour*. 'No wê!', medda mam! A ches i ddim mynd. Ond fyswn i ddim yn Tammy Jones rŵan, *band singer* fyswn i 'di bod mae'n siŵr... y ffordd 'nath o droi allan, oedd o'n well.

Gweithio yn swyddfa'r Frigâd Dân ac Ambiwlans yng Nghaernarfon roedd Tammy, pan nad oedd hi'n canu, a phan symudodd i weithio i un o swyddfeydd y gwasanaeth yn Bedford, Lloegr, yn 1966, daeth cyfleoedd newydd i'w rhan. Cafodd wahoddiad eto i ganu gyda band ac erbyn 1967 roedd hi'n gantores broffesiynol ac yn canu bum neu chwe gwaith yr wythnos. Arwyddodd gytundeb gyda label Envoy (Delyse) yn Lloegr a rhyddhawyd record ohoni yn cynnwys y gân Gymraeg 'Moliannwn'. Ei breuddwyd ar y pryd oedd gwneud record fyddai'n gwerthu ledled y byd – ychydig a wyddai y byddai'r freuddwyd honno'n dod yn wir ymhen rhai blynyddoedd. "O ddod yn adnabyddus felly gynta," meddai, mewn erthygl yn y cylchgrawn *Hamdden* yn 1967, "efallai byddai cyfle wedyn i gyflwyno'r Gymraeg i'r byd... Dim ond i'r Cymry ifanc yma ddangos i'r cwmnïau eu bod nhw'n

awyddus am ragor o'r deunydd yma, yna'n sicr fe fydd mwy a mwy o bops Cymraeg yn ymddangos ac fe fydd bywyd cyfoes pobl ifanc Cymru'n gyflawn."

Erbyn dechrau'r 1960au roedd bron pob bachgen a merch yng Nghymru ar dân eisiau chwarae'r gitâr. Hwn oedd yr offeryn newydd, yr offeryn ffasiynol,

WELSH TELDISC TEP 859

*Alawon
Gwerin
Cymru*

*the Voice and Guitar of
Welsh Folk Song Star
Esme Lewis*

offeryn y foment. Ond roedd un ferch yn benderfynol fod y gitâr yn offeryn mor draddodiadol â'r delyn neu'r ffliwt a thorrodd dir newydd ar y pryd drwy ganu ei threfniannau ei hun o'n caneuon gwerin i'w chyfeiliant ei hun ar yr offeryn hwn, na welwyd mohono ym myd canu gwerin Cymru ers y 19eg ganrif. Mae'n debyg iddi fynd ar ei gwyliau i Sbaen a dod yn ôl i Gymru efo gitâr. Esme Lewis oedd hi, merch o'r Caerau, Maesteg, a'i chefndir oedd capel, eisteddfod a diwylliant Cymreig y coliers. Wedi graddio yn y Gymraeg ym Mhrifysgol Abertawe,

ESME LEWIS

Y Cwennod

hyfforddodd fel athrawes cyn mynd i ddysgu i Ysgol Ramadeg y Merched, Aberdâr. Roedd darlledu yng Nghymru'n datblygu'n sydyn ac yn y 50au a'r 60au cafodd sawl cyfle ar y radio a'r teledu. Roedd yn aelod o wythawd a fyddai'n canu'r emynau yng ngwasanaethau'r BBC a bu'n canu'n gyson mewn myrdd o raglenni radio, ac ar raglenni teledu fel *Y Dydd* a *Heddiw*. Medd *Y Cymro* amdani yn 1960: "Pan yn canu alaw werin drist neu lawen, bydd profiad y bardd o gerddor di-enw yn brofiad iddi hithau am y tro, yn rhan ohoni. Ei dychymyg artistig sy'n gwneud i'w holl berfformiadau fod mor ddidwyll a naturiol."

Edrychai yn ôl at gyfnod Maria Jane Williams, Aberpergwm, a chwaraeai'r gitâr yn gyfeiliant i'r caneuon gwerin a gasglai yn nghanol y 19eg ganrif. Ar ei record i label Welsh Teldisc yn 1965, clywir trefniannau ffres a chyfoes a drymiau a bas yn gyfeiliant cynnil i'w chwarae a'i chanu pur ac artistig.

Ond beth am y grwpiau merched? Grŵp a dorrodd dir newydd yn bendant oedd Y Cwennod, neu Cwennod Treboeth i roi iddyn nhw eu teitl llawn. Criw o ferched o bentref Treboeth ger Abertawe oedd Y Cwennod – Hannah Roberts, Margaret Grey, Gaynor John, Eirlys Morris, Enyd Jones a Marilyn Morris – criw a oedd wedi cael eu magu ar ganu'r capel, canu gwerin a cherdd dant a ddaeth ynghyd yn yr Aelwyd yn Nhreboeth dan ofal y Parchedig T. James Jones (Jim Parc Nest). Cawsant flas ar lefaru, ar actio mewn dramâu a chystadlu ac yn un o

aduniadau'r Urdd yng ngwersyll Pantyfedwen, dan anogaeth neb llai na Ryan Davies, buont yn ymarfer ac yn cyfansoddi caneuon gwreiddiol, gan fwynhau'n arw. Ychydig o ddarpariaeth o ran adloniant i bobl ifanc oedd i'w gael ar y radio a'r teledu yr adeg honno, ond roedd pethau'n dechrau newid a rhaglenni fel *Amser Te* a *Tipyn o Fynd* ar y teledu a *Clywch Clywch* ar y radio yn ceisio cyflwyno'r pops cyfoes mewn diwyg Cymreig. Ond i'r Cwennod, a gafodd eu haddysg yn Ysgol Uwchradd cyfrwng Saesneg Abertawe, o ran cerddoriaeth gyfoes, dylanwad cerddoriaeth Seisnig oedd arnynt yn eu harddegau, fel y sonia Gaynor, un o aelodau'r Cwennod:

A bod yn onest, roeddwn i'n ymwybodol iawn o'r canu cyfoes ers yn ifanc iawn, ac roeddwn wrth fy modd yn gwrando ar sêr Americanaidd a'u baledi *swing* fel y galwyd e bryd hynny ar y radio... Dwi'n

cofio'r ffilm *Rock Around the Clock* yn dod i sinema yn Abertawe a mynd yno i'w weld gyda fy ffrind pennaf, Margaret (aelod arall o'r Cwennod), a dyna ni!

I Hannah Roberts, aelod arall o'r Cwennod, Elvis, Tom Jones, Cliff Richard, Perry Como a'r Everly Brothers oedd rhai o'r cantorion oedd yn mynd â'i bryd, ac o ran y merched, Sandy Shaw, Petula Clark, Joan Baez, Cilla Black a Helen Shapiro oedd y sêr:

O'n i'n cario *radio transistor* 'Dansette' rownd 'da fi yn y tŷ i bobman ac i'r tŷ bach oedd ar dop yr ardd pryd 'ny! – *Hooked on Pop*!

Doedd y canu pop Cymraeg ddim wedi dod i oed eto ac i'r mwyafrif, rhywbeth yn yr iaith Saesneg oedd canu pop. Roedd cylchgronau pobl ifanc Cymru'r cyfnod, fel *Blodau'r Ffair*, *Cymru* a *Hamdden* a thudalennau *Y Cymro* hefyd yn amlygu hynt a helynt y cantorion pop Saesneg ac Americanaidd. Roedd Myfanwy Howell, un o gyflwynwyr cynnar y byd teledu Cymraeg, yn teimlo'n gryf dros annog pobl ifanc Cymru i gyfansoddi caneuon gwreiddiol a bu Adar Rhiannon, tair o ferched o Goleg Prifysgol Aberystwyth, sef Margaret Jones, Joan Wyn Hughes a Rhiannon Morgan, yn canu 'miwsig ysgafn, cyfoes', na chafodd y label 'pop' ar y pryd, ar un o'i rhaglenni yn 1963, sef *Amser Te*. Meddai Myfanwy Howell yn *Y Cymro* yn 1963:

> Ffaith galonogol iawn ydyw bod y merched hyn yn cyfansoddi eu caneuon hwy eu hunain, ac y mae'n bwysig iawn ein bod yn cael cyfansoddi'r math hwn o fiwsig gan Gymry, yn hytrach na'n bod yn bodloni ar fewnforio pops.

Dyna'n union oedd cennad Y Cwennod – "Creu caneuon pop Cymraeg gwreiddiol oedd y nôd, yn hytrach na chyfieithu caneuon pop i'r Gymraeg," yn ôl Gaynor eto, a'r creu ar y pryd a'r cymdeithasu wrth ymarfer a pharatoi yn hanner yr hwyl.

Profodd y gân gyntaf iddynt ei chyfansoddi a'i pherfformio, 'Blwyddyn Naid', yn hynod boblogaidd yn y noson lawen ym Mhantyfedwen ar nos Galan 1963. Erbyn 1964 roedd Eisteddfod yr Urdd, a oedd i'w chynnal y flwyddyn honno ym Mhorthmadog, wedi penderfynu cynnal cystadleuaeth cân bop am y tro cyntaf erioed – newydd a gafodd gryn sylw yn *Y Cymro*. Y Cwennod, â'u cân hwyliog, 'Wil', a fu'n fuddugol yn y gystadleuaeth gyntaf honno, gan ddychwelyd i Dreboeth gyda gwobr arbennig – disg arian y *Liverpool Daily Post*. Ar y ffordd adref, cymaint oedd eu hawydd i weld eu perfformiad ar y teledu'r noson honno fel y bu'n rhaid stopio'r car yng Nghorris a chnocio ar ddrws y tŷ cyntaf a welsant, gan ofyn yn garedig a oedd ganddyn nhw deledu ac a gaen nhw ddod i mewn i'w wylio! Yn y dyddiau diryngrwyd hynny lle nad oedd modd gwylio unrhyw raglen yr eilwaith, croesawyd hwy'n gynnes i'r tŷ! Byr fu hanes Y Cwennod, ond yn sicr, drwy eu canu hwyliog a'u hymddangosiadau ar raglenni teledu megis *Hep Hep Hwrê* a *Cocacabana*, roeddynt yn sicr ymysg arloeswyr y canu pop Cymraeg. A diolch fod Hannah Roberts, un o'r aelodau, yn cario ei recordydd tâp *reel to reel* Grundig gyda hi i bobman, gan fod recordiad prin o un o'u hymarferion ym Mhantyfedwen, gyda Ryan ar y piano, yn gofnod perffaith o ffresni, brwdfrydedd a gwreiddioldeb y Cwennod ifanc o Dreboeth.

Grŵp arall o ferched a fu'n diddanu mewn llu o nosweithiau llawen a chyngherddau am gyfnod o rai blynyddoedd oedd Blodau'r Ffair o Borthaethwy, dan arweiniad merch o Gaergybi, sef Olwen Lewis. Ffurfiwyd y grŵp pan ddaeth Olwen yn athrawes i Ysgol David Hughes, Biwmares bryd hynny. Casglodd ynghyd griw o ferched a oedd yn ddisgyblion yno ar y pryd. Pan symudodd yr ysgol i Borthaethwy, enwyd y grŵp ar ôl ffair enwog y dref. Bu Olwen yn amlwg iawn ar raglenni radio'r BBC yn y 50au, fel cyfeilydd a chantores, ac erbyn dechrau'r 60au, roedd y grŵp wedi'i hen sefydlu ac yn canu caneuon ysgafn yn idiom arbennig eu hathrawes. Clywyd eu canu swynol a'u harmonïau melfedaidd droeon ar y radio a'r teledu ond ni chafwyd record ganddynt hyd 1967, pan ryddhawyd dyrnaid o'u caneuon poblogaidd gan gwmni Dryw. Erbyn hynny roeddynt yn boblogaidd tu hwnt ar lwyfannau ledled y wlad, fel y dywed y broliant ar glawr y record: "Nid anghofir byth mo'u canu yng nghyngerdd nos Sadwrn Eisteddfod Llandudno nac yng nghyngerdd cyhoeddi Eisteddfod y Bala." Newidiodd aelodaeth y grŵp ar hyd y blynyddoedd ac un o'u haelodau enwocaf oedd y gantores o Frynsiencyn, Margaret Williams. Erbyn 1967, pan gyhoeddwyd eu record gyntaf, roedd pedair o'r aelodau gwreiddiol yn dal i ganu, sef Elisabeth Jones, Alwen Owen, Ann Jones a Gwenda Williams,

Blodau'r Ffair

a daeth pedair arall i ymuno â nhw, sef Arvona Williams, Ann Edwards, Angela Evans a Janet Hughes.

Roedd Olwen Lewis yn dal i ganu'n unigol yn y 60au a rhyddhawyd record ganddi yn yr un flwyddyn â record gyntaf y grŵp, yn cynnwys caneuon fel 'Davy John' a 'Gochelwch y Mwstas' i'w chyfeiliant piano unigryw hi ei hun. Yn ôl Ifan Roberts, a fu'n ddisgybl yn Ysgol David Hughes yng nghyfnod cychwyn Blodau'r Ffair:

> Roedd gan Olwen lais melfedaidd oedd yn swyno cynulleidfa ei chyfnod. Roedd hi'n un ddireidus ei llygaid a'i chaneuon ysgafn… Roeddwn i'n ddisgybl ym Miwmares ac yn sgwennu rhigymau a photsian efo geiriau. Roedd Olwen wedi clywed cân werin o Ffrainc, neu efallai Llydaw, chwedl am lyffant wedi cael ei ddal gan rywun ac yn pledio am gael mynd 'nôl i'r llyn… Dwi ddim yn credu fod y geiriau sgwennais i dan gyfarwyddyd Olwen fawr o bethau, ond wir, roedd Blodau'r Ffair wedi eu canu ambell dro, gan gynnwys dau ddarllediad hanner gini yr un ar deledu.

Mae'r recordiad cynnar hwn o Blodau'r Ffair yn dal yn archif y BBC.

Ym mlynyddoedd cyntaf y 60au, er bod pethau'n dechrau newid o ran adloniant cerddorol yng Nghymru, newid yn rhy araf yr oedd pethau, yn ôl rhai, o gymharu â'r hyn a ddigwyddai y tu hwnt i'r ffin. "Mae miloedd o Gymry ifanc sy'n dyheu am hyn ac yn gorfod troi at Loegr neu America oherwydd nad oes digon o ddeunydd cartref ar eu cyfer," meddai Rees Williams yn *Y Cymro* ym mis Mawrth 1963. "Mae dylanwad yr hen ac yn enwedig y canol oed yn pwyso'n drwm ar Gymru – y nhw sy'n gwgu ar y canu 'pop' a hynny am eu bod yn credu mai rhywbeth amharchus ydyw… Mewn canlyniad, tyf y to ifanc gan gredu mai mewn Saesneg yn unig y gellir mynegi teimladau ieuenctid mewn ffurf boblogaidd." Ar y teledu – y cyfrwng adloniant newydd a oedd yn datblygu'n gyflym – ar ddiwedd 1963 rhoddwyd gwobr i'r gân bop fwyaf poblogaidd a ddarlledwyd ar y rhaglen *Cocacabana*. Y gân aeth â hi oedd 'Diolch i'r Iôr', emyn cyfoes o waith T. Gwynn Jones yn cael ei ganu gan Sassie Rees. Ond roedd y math hwn o ganu ymhell o fodloni rhai a oedd yn ysu am ganeuon 'pop' go iawn. Meddai 'Amlyn' yn *Y Cymro*: "Y bai mwyaf ar ein caneuon yw nad oes 'fynd' o'r math iawn ynddynt… Onid yw'n hen bryd i ni'r Cymry gael caneuon gwerin newydd? Oni chawn y mae'n mynd i fod yn bur drafferthus ar rai ohonom wrth geisio twistio i'r gân 'Cyfri'r Geifr'!"

Ond roedd rhywbeth yn cyniwair yn rhai o wersylloedd yr Urdd, lle dôi cannoedd o bobl ifanc ynghyd i fwynhau ac i gymdeithasu. Yma, roedd dyheadau a brwdfrydedd cynhyrfus ein hieuenctid yn eu harwain i gydio yn eu gitârs a chanu, a'r canu hwnnw'n ymgorffori ysbryd newydd o Gymreictod a hunaniaeth Gymreig. Traddodwyd darlith enwog Saunders Lewis, 'Tynged yr Iaith', yn Chwefror 1962, a arweiniodd at brotestiadau am hawliau i'r iaith a sefydlu Cymdeithas yr Iaith Gymraeg. Roedd myfyrwyr y colegau yn galw am statws cydradd i'r iaith, a phobl ifanc Cymru, fel pobl ifanc mewn sawl gwlad a chyfandir arall yn y cyfnod, yn deffro i'w hawliau. Yn ganolog yn yr ymwybyddiaeth hon yr oedd y canu, ac er nad oedd y canu hwnnw'n ganu protest y rhan fwyaf o'r amser, roeddynt yn canu yn Gymraeg, ac yn canu yn yr idiom newydd, gyfoes, yn eu hiaith eu hunain, ac roedd hynny ynddo'i hun yn ddatganiad o Gymreictod ac o fwriad i wneud 'popeth yn Gymraeg'.

Yng Nglan-llyn daeth hogyn ifanc o Lanuwchllyn yn amlwg iawn. Dafydd Iwan oedd hwnnw, wrth gwrs, a bu yntau a chyfoedion eraill fel Edward Morus Jones yn ysbrydoliaeth i ddegau ar ddegau o bobl ifanc Cymru i ymuno yn y canu. Yma, fe glywech chi ganu cyfoes yn y Gymraeg, fel a nodwyd gan un o'r gwersyllwyr yn *Hamdden*, fis Chwefror 1965: "Oes dim posib perswadio rhai o'r cwmniau recordio Cymraeg i ddod i'r gwersylloedd i glywed beth yw canu? Rydym yn canu pob math o ganeuon, gwerin a modern, hen a newydd, ac mae rhai newydd yn cael eu cyfansoddi o hyd." Meddai gwersyllwr arall yn rhifyn Awst/Medi 1965 o'r un cylchgrawn: "Os ydych chi am glywed enghreifftiau o ganu poblogaidd Cymraeg, naturiol, ewch i'r caban coffi yng ngwersyll Glan-llyn lle mae'r gitâr mewn bri a phawb yn ei swingio hi yn Gymraeg."

Grŵp a ddaeth yn drwm o dan ddylanwad gweithgareddau'r Urdd oedd Y Meillion, grŵp o ferched ysgol o Gaerdydd – pob un heblaw un yn gyn-ddisgyblion Ysgol Gymraeg Bryntaf, ysgol Gymraeg gyntaf y brifddinas – dan arweiniad eu hathrawes, Beti Wyn Jones, a ddeuai yn wreiddiol o Sir Fôn, ac a fu'n llwyddiannus yn hyfforddi partïon canu penillion. Yn 1965 roedd Eisteddfod yr Urdd i'w chynnal yng Nghaerdydd. Canodd Y Meillion yng nghyngerdd y cyhoeddi ac ymhen dim roedd record ohonynt wedi ei chyhoeddi ar label Dryw. Roedd hi'n ddyddiau cynnar o ran recordio cerddoriaeth boblogaidd Gymraeg ac roedd y record hon gan Y Meillion ymhlith y rhai cyntaf o ganeuon cyfoes yn nhraddodiad newydd y canu 'pop', lle clywyd merched yn canu yn Gymraeg i gyfeiliant gitâr. Rhyddhawyd record arall gan y grŵp yn fuan iawn, ar label Qualiton. Y cwmnïau recordio ar y pryd oedd Dryw, Welsh Teldisc a Qualiton. Sefydlwyd Dryw a Qualiton ddiwedd y 1950au ond bu'n rhaid aros tan 1965 a rhyddhau recordiau Aled a Reg, Y Diliau a'r Meillion nes cael canu pop ar record ganddynt. Yna yn 1966 rhyddhaodd Welsh Teldisc recordiau Dafydd Iwan ac Edward, sefydlwyd cwmni recordio Cambrian ac yn y blynyddoedd dilynol, wrth gwrs, rhyddhawyd degau ar ddegau o recordiau pop Cymraeg. Roedd recordiau Y Meillion yn gerrig milltir nodedig ac yn rhai o'r recordiau pop Cymraeg cyntaf un.

CANEUON MODERN

Y MEILLION

WREN
Extended Play

SIGLO'N Y GWYNT
★ ★ ★
Y SIPSIWN
★ ★ ★
QUE SERA SERA
★ ★ ★
I BLE'R AETH Y BLODAU?
★ ★ ★
DOMINIQUE

Drwy'r record a'u perfformiadau cyhoeddus daeth y grŵp yn boblogaidd gan ymddangos ar raglenni'r BBC a TWW. Canent ganeuon didwyll a theimladwy, ambell un yn gyfieithiad o ganeuon gwerinol a baledi gan rai fel Bob Dylan a Pete Seeger, ac ar eu record clywir hwy'n canu'n llawn afiaith am yr Urdd – "a bydd pawb yn wyn ei fyd yn y gweithgareddau i gyd yn ein mudiad modern ni." Yn wir, *Caneuon Modern Y Meillion* oedd teitl y record. Roedd sŵn Y Meillion, er mai disgyblion yn eu harddegau oeddynt yn cael eu hyfforddi gan eu hathrawes, yn sŵn newydd a chyfoes

Heather Jones, Eisteddfod yr Urdd Caerfyrddin 1967

ac yn gwneud cyngherddau mewn capeli ac eglwysi ac yn y blaen. Es i gyda nhw wedyn i gôr merched Beti Wyn Jones, a oedd hefyd yn gyfrifol am Y Meillion wrth gwrs, a chael cyfle i ganu unawdau yn y cyngherddau. Dyna sut ges i fynd ar y teledu am y tro cyntaf, ar *Hob y Deri Dando*, yn 1966, wrth i Meredydd Evans fy nghlywed i'n canu 'Plaisir d'Amour' yn Gymraeg efo'r côr mewn cyngerdd yng Nghaerdydd.

Yn fuan gwahoddwyd Heather gan Beti Wyn Jones i ganu hefyd gyda'r Meillion, a chafodd gyfle i deithio i ganu i lefydd fel Bryste a Birmingham. "Roedden ni'n mynd ar y trên ac roedd y cwbl yn gyffrous iawn a bod yn onest," cofia Heather. Erbyn y cyfnod hwn roedd hi eisoes wedi dod yn enw poblogaidd ym myd y canu pop, a hithau'n dal yn yr ysgol. Ar glawr cefn y cylchgrawn *Hamdden* yn Hydref 1966 cafwyd llun ohoni. Dyma'r tro cyntaf i'r cylchgrawn gynnwys llun cantorion Cymraeg o Gymru. Cantorion Seisnig ac Americanaidd fyddai'n cael sylw fel arfer. Gyda'r enwogrwydd a'r ymddangosiadau teledu daeth arian wrth gwrs: "Dwi'n cofio cael deg gini am ganu ar *Hob*

ac yn arwydd o'r hyn a oedd i ddod yng Nghymru rhwng canol a diwedd y 60au.

Un a ddaeth yn aelod o'r Meillion yn fuan wedi iddynt recordio'r record gyntaf oedd Heather Jones. Tra oedd hi'n ddisgybl yn Ysgol Uwchradd Cathays, Caerdydd, bu'n canu gyda thair o'i chyfeillion, sef Eirlys Davies, Siân Phillips a Mari Herbert, mewn grŵp arall, o'r enw Y Cyfeillion. Meddai Heather:

> Roedden ni'n byw yn yr un ardal o Gaerdydd a dwi'n cofio cerdded efo nhw i ddal y bws i'r ysgol. Roedden ni'n pedair yn canu ac yn chwarae'r gitâr

Yr Eirlysiau, gyda Heather Jones

"Ges i hyder drwy'r canu," meddai Heather, "achos roeddwn i'n ferch ifanc swil iawn." Erbyn 1968 roedd Y Meillion a'r Cyfeillion wedi dod i ben a ffurfiodd Beti Wyn Jones grŵp arall o'r enw Yr Eirlysiau, a oedd yn cynnwys pedair aelod Y Cyfeillion a dwy ferch arall, a bu'r grŵp yn canu tipyn o gwmpas am gyfnod byr. Erbyn 1968 hefyd roedd Heather wedi dod yn un o artistiaid unigol mwyaf poblogaidd Cymru.

Ganol y 60au roedd y cyfryngau yng Nghymru'n datblygu'n gyflym a'r radio a'r teledu yn chwarae rhan allweddol yn hybu'r diwydiant cerddoriaeth gyfoes. Dechreuodd gwasanaeth teledu'r BBC i Gymru yn 1964, a olygai fod mymryn yn fwy o oriau yr wythnos o raglenni Cymraeg, ac yn 1964 hefyd daeth yr hen wasanaeth Teledu Cymru i ben a TWW yn cymryd yr awenau.

y *Deri Dando*," meddai Heather, "ac roedd hynny'n grêt i ferch un ar bymtheg oed! Es i'n syth allan i'r dre i brynu ffrog o siop Wallis."

Un a ddysgodd Gymraeg yn yr ysgol oedd Heather a gyda'i ffrindiau, a siaradai Gymraeg fel iaith gyntaf, aeth i wersyll Glan-llyn, ac yno, agorwyd ei llygaid ymhellach i fyd cerddoriaeth bop Gymraeg. Swynwyd hi gan gantorion fel Dafydd Iwan a Huw Jones a swynodd hithau'r gwersyllwyr gyda'i llais pur. Enillodd gystadleuaeth y gân bop unigol yn Eisteddfod yr Urdd Caerfyrddin yn 1967 a daeth rhagor o sylw i'w rhan.

Penodwyd y Dr Meredydd Evans yn Bennaeth Adran Adloniant Ysgafn y BBC yng Nghymru a dyma ddechrau cyfnod euraidd, cyfnod a welodd ddatblygiadau helaeth iawn o ran darpariaeth adloniant i'r Gymru Gymraeg ar y teledu, a thrwy arweiniad a gweledigaeth Merêd, ynghyd â chynhyrchwyr a chyfarwyddwyr megis Ruth Price, Nan Davies a Rhydderch Jones, rhoddwyd cyfleoedd di-ri i artistiaid a diddanwyr Cymraeg, yn gerddorion ac actorion.

Yn 1964 darlledwyd y rhaglen gyntaf yn y gyfres *Hob y Deri Dando*, cyfres a welodd berfformiadau

Olwen Rees ar y rhaglen Hob y Deri Dando

cerddorol gan artistiaid Cymraeg ifanc a brwdfrydig. Ar y rhaglen gyntaf honno roedd Y Gwerinos o Goleg Aberystwyth, Aled a Reg, Y Proffwydi o Goleg Caerdydd, Hogia Dyfi a dwy ferch, sef Eiri Jones o Ynys-y-bwl, a ddaeth yn aelod o'r Triban yn fuan wedi hynny, ac Ann Edwards o Frynsiencyn. Yn 1964 daeth uned deledu allanol y BBC i'r gogledd am y tro cyntaf, i Neuadd y Penrhyn, Bangor, a bu Olwen Rees, y gantores ddwy ar bymtheg oed, yn canu gyda Hogia Bangor. Roedd yn amlwg yn dilyn yn ôl troed ei mam, Sassie Rees, ac ymhen ychydig flynyddoedd byddai'n un o'r artistiaid, ynghyd â Ryan Davies, Mari Griffith, Margaret Williams a Hywel Gwynfryn, a fyddai'n derbyn cytundeb perfformiwr llawn-amser gan Adran Adloniant Ysgafn y BBC. Canodd Helen Wyn ar y rhaglen o Neuadd y Penrhyn hefyd, a gwahoddwyd *twisters* a *rockers* a ddewiswyd mewn cystadlaethau yn rhai o'r neuaddau dawnsio lleol i gymryd rhan yn y rhaglenni hyn. Roedd Merêd yn benderfynol o geisio ail-greu difyrrwch a bwrlwm yr hen noson lawen Gymreig a fu'n gymaint rhan o arlwy radio'r BBC yn y 40au a'r 50au, dan law Sam Jones, ond roedd am wneud hynny mewn modd cyfoes a adlewyrchai egni newydd Cymru'r 60au. Fe lwyddodd, ac ynghyd â rhai merched amlwg megis Ruth Price a Nan Davies, bu'n allweddol yn natblygiadau cyffrous a blaengar maes darlledu cerddoriaeth gyfoes y BBC am ddegawd.

Un o'r grwpiau merched mwyaf llwyddiannus a hirhoedlog, yn sicr, oedd Y Diliau. Dechreuodd y grŵp wrth i Lynwen Jones, Mair Davies a Meleri Evans, o bentref Llangadog, ddod at ei gilydd i ganu tra oedden nhw'n ddisgyblion yn Ysgol Pantycelyn, Llanymddyfri, yn 1964. Yn haf y flwyddyn honno daeth eu perfformiad cyntaf, mewn noson lawen gan Blaid Cymru, ac yn fuan roeddynt yn perfformio mewn cyngherddau a nosweithiau llawen ledled y wlad, yn aml gyda Parti'r Ddraig Goch, Llangadog. Erbyn 1965 clywyd eu lleisiau swynol ar record am y tro cyntaf yn canu caneuon amrywiol i gyfeiliant gitâr Lynwen a Meleri. O'r cychwyn roedd Y Diliau yn edrych y tu hwnt i Gymru am ysbrydoliaeth a daethant o dan ddylanwad cantorion megis Bob Dylan, Julie Felix a'r Womenfolk, ac roedd cyfieithiad Cymraeg gan Meredydd Evans o un o ganeuon y Womenfolk, 'Gall Dwy Law', ar eu record gyntaf. Roedd sain Y Diliau yn newydd ar y pryd ac yn cynrychioli'r don newydd o gantorion pop Cymraeg, ac roeddynt yn benderfynol o ddangos fod cantorion pop Cymru cystal â chantorion pop Lloegr, America ac unrhyw wlad arall. Ar glawr y record gyntaf honno ar label Qualiton roedd hi'n amlwg fod Y Diliau yn grŵp a feddyliai'n wahanol i nifer o gantorion pop eraill y cyfnod. Er mai myfyrwyr coleg oeddynt ar y pryd, roedd ganddynt agwedd hynod o broffesiynol a golwg ryngwladol ar y sin bop. Yn ôl y broliant ar y clawr:

A breath of fresh air is currently blowing through the field of Welsh music entertainment. The traditional Noson Lawen atmosphere is suddenly leavened with a new ingredient, and living Welsh culture is brought into step with the sixties... It is time that Wales today can supply the needs of those who are abreast of the second half of the twentieth century. Songs of protest, love, work and praise, all have their place in the repertoire of the new generation of Welsh music makers... Amongst these, Y Diliau produce sounds in the modern idiom with all the panache and professionalism of their Los Angeles, St Germain or Barcelona equivalents. Their language is Welsh, but language in no way restricts the universality of their appeal.

Roedd gobeithion mawr i'r Diliau ac fe aeth y grŵp o nerth i nerth.

Erbyn rhyddhau eu record gyntaf roeddynt eisoes yn boblogaidd ar deledu Cymraeg, a'r asiad lleisiol hyfryd a pherffeithrwydd syml eu canu hudolus yn torri tir newydd yng Nghymru. Roedd label Qualiton yn credu mai'r Diliau oedd y rhai i anadlu bywyd newydd i gerddoriaeth gyfoes yng Nghymru, yn yr un modd ag y gwnaeth Triawd y Coleg yn y 40au. Cydiodd y sain arbennig a greai'r tair a bu sawl ymddangosiad teledu ar raglenni fel *O Lan i Lan*,

Yn *Hamdden* yn 1966 ac eto yn 1967 cawsant ganmoliaeth uchel:

> Nid gormodiaeth yw sôn am berffeithrwydd lle mae'r Diliau yn y cwestiwn. Mae'r modd y mae lleisiau cyfoethog y tair merch yma'n toddi i'w gilydd yn rhywbeth eithriadol iawn... Yn ddi-ddadl, dyma un o'n grwpiau mwya' swynol ni a sglein ar eu gwaith nhw – mor broffesiynol ag unrhyw grŵp amser llawn yn canu mewn unrhyw iaith arall.

Hob y Deri Dando, *Y Dydd* a'r rhaglen bop newydd a gychwynnodd yn 1967, *Disc a Dawn*. Daeth ail record erbyn 1967, *Dwli ar y Diliau*, eto ar label Qualiton, ac un a rannodd y llwyfan â'r tair droeon, Ryan Davies, yn ysgrifennu ar y clawr:

> Canu gwerin, wrth gwrs, nid canu pop yw eu maes nhw... Mae nhw hefyd yn cyfansoddi amryw o ganeuon gwreiddiol... Mae llawer wedi sylwi ar ansawdd broffesiynol canu'r Diliau a mae nhw'u hunain yn dweud eu bod nhw'n anelu at y safon rhyngwladol.

Ond doedd Y Diliau, ddim mwy na'r mwyafrif o gantorion Cymraeg y cyfnod, ddim yn canu er mwyn bod yn enwog a gwneud arian. Pleser oedd y cyfan. Roedd Mair yn athrawes mewn ysgol Gymraeg yng Nghaerdydd erbyn 1967, Lynwen yn fyfyrwraig ymarfer corff yng Ngholeg Addysg y Barri a Meleri yn ysgrifenyddes i neb llai na Gwynfor Evans AS – ei thad. Ond roedd bywyd yn prysuro i'r Diliau a chyfleoedd ar bob llaw. Roedd blynyddoedd prysur o'u blaenau a rhagor o lwyddiant, yng Nghymru a thu hwnt.

Erbyn canol y 60au roedd pethau'n dechrau newid yng Nghymru yn gymdeithasol, a ffordd o fyw pobl ifanc yn arbennig yn gweld newidiadau a groesawyd gan rai ac a gondemniwyd gan eraill. Yn 1965 gwelwyd cwyno yn Y Cymro fod y tafarnau yn rhy lawn yn Eisteddfod Genedlaethol y Drenewydd y flwyddyn honno a bod pobl ifanc yn cael eu "harwain i ddamnedigaeth". Roedd y canu hefyd yn dod yn fwyfwy canolog ym mywyd pobl ifanc Cymru ac ym mywyd merched Cymru. Yn ogystal ag eisteddfodau'r Urdd, gwelwyd eisteddfodau fel Eisteddfod Butlins,

Pwllheli, yn cynnwys y canu modern ochr yn ochr â'r cerdd dant a'r unawdau, ac ychydig filltiroedd i lawr y lôn o Bwllheli, yn y Ffôr, roedd criw o ferched ifanc yn canu emynau pop yn un o oedfaon Capel Ebenezer y pentref, digwyddiad a gyrhaeddodd dudalennau Y Cymro. Caneuon o'r cylchgrawn Tonc a'u hysbrydolodd, cylchgrawn a gyhoeddwyd gan Wasg y Glêr, dan olygyddiaeth Gwilym Tudur, ac a fwriadwyd i "ddiwallu'r rhai sy' wedi laru ar ganu'r hen ffefrynnau dragywydd". Ymhlith y caneuon yr oedd caneuon ac emynau pop gan rai fel Peter Hughes Griffiths, Mair Kitchener Davies ac Adar Rhiannon, y triawd o ferched o Goleg Prifysgol Aberystwyth. Roedd Rhiannon Morgan, un o'r triawd, hefyd yn aelod o'r Aberiaid. Hi oedd gitarydd y grŵp, ac ynghyd â Peter Hughes Griffiths a'r tri aelod arall o Aelwyd Aberystwyth, canent ganeuon ysgafn a hwyliog. Cynhwysai Tonc batrymau cordiau gitâr. Dyma'r llyfr cyntaf o'i fath yn Gymraeg a bu'n boblogaidd, er mai dim ond un rhifyn a gyhoeddwyd. Daeth merched eraill yn amlwg ar sgrin a radio ac roedd hyd yn oed merched y WI yn Nefyn wedi cydio yn eu gitârs, gan guro cangen Morfa Nefyn yn y gystadleuaeth grŵp sgiffl mewn eisteddfod yn Edern.

Ond yn gyffredinol, roedd rhagfarn yn bodoli a chyfleoedd i ferched ar lefel uchaf byd gwaith yn brin. Yn rhifyn mis Ionawr 1965 o Hamdden gwelwyd hysbyseb am Bennaeth i wersyll Glan-llyn: "Gwahoddir ceisiadau oddi wrth ddynion dros 30 oed am swydd o gyfrifoldeb arbennig" oedd y geiriad. Er hyn, roedd pethau'n dechrau newid a merched yn cael rhagor o gyfleoedd ac yn sgil hynny, rhagor o hyder, fel mae llythyr smala gan un o ddarllenwyr gwrywaidd Hamdden yn Ionawr 1966 yn ei fynegi'n glir:

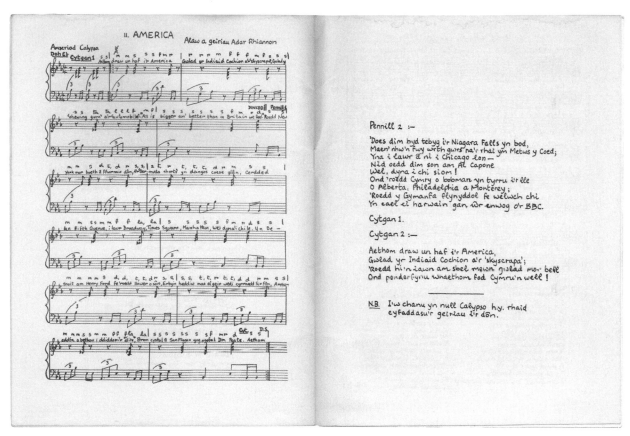

II. AMERICA

Alaw a geiriau Adar Rhiannon

Pennill 2 :—

'Does dim hyd tebyg i'r Niagara Falls yn bod,
Maen' nhw'n fwy wrth gwrs na'r rhai ym Metws y Coed;
Yna i lawr â ni i Chicago lon —
Nid oedd dim son am Al Capone
Wel, dyna i chi siom !
Ond 'roedd Cymry o bobman yn tyrru i'r lle
O Alberta, Philadelphia a Monterey;
'Roedd y Gymanfa flynyddol fe welwch chi
Yn cael ei harwain gan ŵr enwog o'r BBC.

Cytgan 1.

Cytgan 2 :—

Aethom draw un haf i'r America,
Gwlad yr Indiaid Cochion a'r 'skyscrapa';
'Roedd hi'n iawn am sbel mewn gwlad mor bell
Ond penderfynu wnaethom fod Cymru'n well !

N.B.   I'w chanu yn null Calypso h.y. rhaid
       cyfaddasu'r geiriau i'r dôn.

Ferched! Ferched! Beth sydd wedi digwydd i chi? Dyw merched heddiw ddim fel menywod o gwbl. Dy'n nhw ddim yn actio fel menywod a dy'n nhw ddim yn edrych fel menywod. Mae'r merched heddiw yn rhy annibynnol, yn rhy siŵr o'u pethe, yn rhy wybodus, yn rhy falch, heb flewyn ar eu tafod yn gwneud i ddyn deimlo, wel, yn beth sâl; dim hanner digon diniwed-llygaid-mawr ac anwybodus. Ac ar ben hynny mae nhw'n gwisgo fel dynion – martsio allan mewn siwt frethyn neu rip, gwasgod, côt a throwsus – a hwnnw hyd yn oed yn cau yn y tu blaen! 'Ble mae'r blodau wedi mynd?' Pryd y sylweddolwch chi ferched bach mai eisiau i chi fod, ac edrych, yn bethau bach annwyl sydd? Dyna i gyd!

Oedd, roedd y merched yn dod fwyfwy i'r blaen ac yn arbennig felly ym myd y canu pop. Dafydd Iwan ac Edward, Hogia Llandegai ac Aled a Reg oedd sêr pop gwrywaidd canol y 60au a buont yn boblogaidd tu hwnt. Ond roedd rhagor o ferched yn dod i'r amlwg, ac un sydd â'i henw yr un mor adnabyddus heddiw â chanol y 60au yw'r ddihafal Meinir Lloyd. Un a fagwyd yn sŵn y delyn yng Nghyffylliog, Sir Ddinbych, oedd Meinir Lloyd, ac un a ddaeth i'r brig ym maes y delyn a cherdd dant, ond un a allodd gamu'n rhwydd i fyd y canu cyfoes, fel y cofnodwyd yn *Y Cymro* ym mis Hydref 1963, mewn adroddiad am raglen deledu gan TWW, *Gorwelion*:

> O bawb sy'n ceisio dehongli'r caneuon pop cyfoes yn Gymraeg y dyddiau hyn, gan Meinir Lloyd y mae'r llais a'r osgo mwyaf llwyddiannus i'r pwrpas. Canodd i'w chyfeiliant ei hun ar y rhaglen hon a chawsom weld a chlywed fel y gall ymollwng ac ymroi'n llwyr i drosglwyddo holl nodweddion y math hwn o ganu.

Bu'n enillydd cyson yn yr eisteddfodau lleol a chenedlaethol ers pan oedd yn ifanc, a'r dylanwad pennaf arni oedd Aled Lloyd Davies a'r pwyslais a roddwyd ar gerdd dant

a chanu gwerin yn Ysgol Gynradd Brynhyfryd, Rhuthun. Daeth yn amlwg ar y gyfres *Sêr y Siroedd* a ddarlledwyd ar y radio ddiwedd y 50au a dechrau'r 60au. Bu Meinir yn cynrychioli Sir Ddinbych ar y rhaglen ac un o'r caneuon oedd yr enwog 'Watshia di dy Hun'! Daeth cyfleoedd wedyn i ymddangos ar lu o raglenni megis *Canu'n Llon*, *Disc a Dawn* a *Caban y Cowbois* cyn cael cyfres o raglenni ei hunan, sef *Mynd ar Gân*, ar TWW gydag Owen Gruffydd yn cynhyrchu. Daeth gwahoddiadau hefyd i ganu mewn llu o gyngherddau a nosweithiau llawen. Meddai Meinir, "Roeddwn yn dotio at steil cantorion Seisnig fel Kathy Kirby a Cilla Black ac yn dibynnu ar fy mrawd yng nghyfraith, sef y diweddar Elwyn Wilson Jones, i gyfieithu nifer o'u caneuon fel 'Lolipop' ac eraill." Roedd 'Lolipop' yn un o'r caneuon ar ei record gyntaf a ryddhawyd ar label Dryw yn 1967, *Yr Hen a'r Newydd*.

Bu Meinir yn amlwg am flynyddoedd lawer ym maes cerddoriaeth gyfoes, gwerin a cherdd dant, a daeth y gân a gyfansoddodd ar y cyd â'i gŵr, Peter Hughes Griffiths, 'Cân y Celt', yn anthem gyfoes Gymreig hynod o boblogaidd. Hyd heddiw, er iddi arloesi ym maes y canu pop, mae ei gwreiddiau'n ddwfn yn nhraddodiad gwerin ei theulu a'i hardal enedigol: "Byddaf wrth fy modd yn gwrando ar bob math o gerddoriaeth ond mae cerdd dant a'r gwerin yn dod i'r brig bob tro. Ond melys yw'r atgofion am y rhaglenni canu cyfoes cynnar rheiny yn y 60au ar y teledu a'r radio a chael bod yn rhan o'r cyffro newydd hwnnw a'r dyddiau da rheiny."

Beti a'r Gwylliaid Gleision

Ffrwydrodd cerddoriaeth grŵp Y Blew o Goleg Prifysgol
Aberystwyth ar y sin gerddoriaeth bop Gymraeg yn 1967. Ers rhai
blynyddoedd roedd cerddoriaeth bît a rhythm trydanol wedi dod
yn boblogaidd y tu hwnt i'r ffin. Adroddwyd yn *Y Cymro* yn 1964
bod "cyfle i fechgyn y curiad" yn Eisteddfod yr Urdd Porthmadog y
flwyddyn honno i berfformio yng nghanol y twmpath dawns ac roedd
sawl grŵp tebyg yn canu'n Saesneg ar hyd a lled y wlad. Roedd Helen
Wyn a Hebogiaid y Nos wrthi'n canu fersiynau Cymraeg o'r ffefrynnau
Saesneg hefyd, wrth gwrs, ond bechgyn Y Blew a gydnabyddir fel y
rhai cyntaf i gyflwyno'r math hwn o gerddoriaeth i gynulleidfaoedd
y Gymru Gymraeg, mae'n debyg gan iddynt gyfansoddi caneuon

CYMRY'N CANU '68

Wren EP

BETI A'R GWYLLIAID GLEISION

Mari Gwilym, a ffurfiodd y grŵp. Bu ar un adeg yn Athro Seicoleg Feddygol yn yr Unol Daleithiau a hefyd yn newyddiadurwr adnabyddus gyda'r *Cymro* a'r *Herald Cymraeg*. Roedd y grŵp yn unigryw yn yr ystyr eu bod yn cyfuno canu contralto cyfoethog Beti Williams ag offerynnau trydanol – organ drydan, bas, gitâr rhythm a drymiau. Roedd y pwyslais ar eiriau crefyddol y caneuon, "a'r rheiny'n eiriau eitha beiddgar ar y pryd," meddai Dafydd Iwan, "ar alawon y Beatles a'u tebyg, caneuon fel 'Bydd Deg, Bydd Strêt', a 'Gyts a Gras'." Beti oedd unig ferch y grŵp. Athrawes yn Ysgol Ramadeg Dyffryn Ogwen, Bethesda oedd hi ar y pryd. Yr aelodau eraill oedd Brian Williams o Fetws Garmon, Siôn Rhys Jones o Waunfawr, Tom Rees Howell o Benygroes a Les Jones o Garmel.

Bu Beti'n amlwg mewn cyngherddau drwy Gymru a hefyd yn yr Eisteddfod Genedlaethol, fel unawdydd, ond erbyn 1966 roedd wedi newid mymryn ar ei harddull gerddorol, a mentro i'r byd pop trydanol. Rhyddhawyd eu record gyntaf ar label Dryw yn 1966 ac un arall wedyn yn 1968. Dylanwad Gwilym O. Roberts oedd i gyfrif am flaengarwch Beti a'r Gwylliaid Gleision, yn sicr, ac yn ôl broliant y record, "trwy ei ddylanwad ef y mae llawer i glwb ieuenctid, neuadd ddawns ac eglwys wedi cael y fraint o wrando ar y math hwn o ganu".

gwreiddiol yn Gymraeg yn yr arddull newydd hon. Ond blwyddyn cyn cynnwrf Y Blew roedd merch arall, o Fethesda, a'i grŵp trydan wedi troi at y canu cyfoes ac yn llenwi neuaddau pentref a chapeli ac eglwysi â'i chanu newydd. Beti a'r Gwylliaid Gleision oedd y grŵp ac yn ôl Dafydd Iwan, "maen nhw, fel Helen Wyn a Hebogiaid y Nos, yn haeddu cael eu cofio gan eu bod yn un o'r bandiau trydan cyntaf, yn sicr y tu allan i'r colegau, a Beti yn un o'r merched cyntaf i amlygu ei hun fel cantores bop." Gwilym O. Roberts, y pregethwr a'r athronydd a thad yr actores

Un o sêr y 60au, heb os, oedd Mari Griffith o Faesteg. Ers pan oedd hi'n ifanc iawn, cerddoriaeth oedd popeth iddi. Chwaraeai'r piano, y delyn a'r soddgrwth i safon uchel ac enillodd ysgoloriaeth gerddoriaeth i Brifysgol Caerdydd. Roedd hi'n canu hefyd wrth gwrs, ac yn ei geiriau ei hun, "Oedden ni i gyd yn canu, yn doedden ni? Oedden ni'n canu yn yr ysgol, canu yn y capel, yr ysgol Sul, yr Urdd, yr Eisteddfod…" Treuliodd gyfnodau yn Llundain a Chaerdydd ac yna ym Manceinion. Meddai Mari:

> O'n i'n canu ar y pryd gyda grŵp proffesiynol o Fanceinion o'r enw The BBC Northern Singers ond o'n i wastad wedi moyn chwarae'r gitâr achos roedd pawb yn y 60au yn chwarae'r gitâr, ac os oedd cwpl o gordiau gynnoch chi yna roeddech chi'n gallu chwarae pethau fel 'Michael row the boat ashore'…

Mi welais i rywun mewn parti yn eistedd ar y llawr, cwrw yn ei law ac yn chwarae'r gitâr a dwi'n cofio meddwl y byswn i'n licio chwarae'r gitâr a wedyn alla i ganu gyda'r gitâr hefyd, a dyna be ddigwyddodd.

Bu'n canu ar y teledu ers 1964 ar raglenni fel *Hob y Deri Dando* a daeth yn amlwg yn y gyfres *Stiwdio B*, rhaglen deledu ddychanol gan y BBC, lle roedd Mari'n cyfansoddi ei chaneuon ei hun ac yn canu geiriau rhai fel y cynhyrchydd Nan Davies. Caneuon protest a chaneuon hwyliog i'w chyfeiliant ei hun ar y gitâr oedd y rhain.

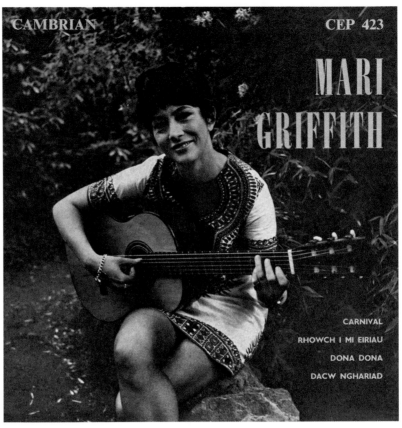

CAMBRIAN   CEP 423

MARI GRIFFITH

CARNIVAL
RHOWCH I MI EIRIAU
DONA DONA
DACW NGHARIAD

Erbyn dechrau 1965 roedd cymaint o waith iddi ar y cyfryngau fel y trodd yn broffesiynol, gan ymddangos ar fyrdd o raglenni, yn Gymraeg a Saesneg, fel *Telewele*, *Tich's Space Trips* a *Derry Dando* (fersiwn Saesneg BBC1 o'r rhaglen Gymraeg boblogaidd). Meddai Mari eto:

> Roedd rhaglenni ysgafn ar y pryd yn chwilio am gantorion a Merêd wedi ei benodi fel pennaeth yr adloniant ysgafn ac wedi rhoi rhyw chwech ohonom ni ar gytundeb. Roeddwn i'n gwneud rhaglenni ysgafn a rhaglenni plant ac ysgolion ac yn cyflwyno, canu a chwarae'r gitâr, felly o'n i byth allan o waith.

nia ac aled

Roedd pethau cyffrous yn digwydd, yn doedd?
Er enghraifft roedd y *pill* ar gael – oeddech chi'n
gallu cael gyrfa a doedd dim rhaid i chi briodi. Roedd
gynnoch chi rhyw fath o reolaeth ar eich bywyd.

Dechreuodd gyrfa recordio ddisglair Mari yn 1968
pan ryddhawyd yr hyn a ddisgrifir gan rai fel y record
'gwerin asid' (*acid folk*) gyntaf yn y Gymraeg, sef *Carnival*,
yn bennaf oherwydd sain newydd, gyffrous y bongos
a glywir ar y caneuon. Aeth Mari ymlaen i serennu am
flynyddoedd lawer ar lwyfan a sgrin.

Roedd rhyw gynnwrf cerddorol
arbennig yn ardal Bangor ac
Ynys Môn yng nghanol y 60au,
cymaint felly nes i rai gyfeirio at
y gweithgarwch pop cynyddol yn
yr ardal hon fel 'The Menai Sound'
(llawer mwy difyr na'r 'Mersey
Sound'!). Dyma gartref y sgiffl
Cymraeg, cartref Hogia Llandegai,
Hogia Bryngwran a Hogia Bangor,
a dau aelod o Hogia Bangor oedd
Aled Hughes a Reg Edwards a
ddaeth yn enwog yn fuan iawn fel
y ddeuawd Aled a Reg. Erbyn canol
y 60au roeddynt wedi'u hen sefydlu
fel wynebau a lleisiau cyfarwydd
ar y sgrin a'r radio ac roedd galw
mawr amdanynt a'u canu gwerin,
pop, modern a gwreiddiol drwy
Gymru gyfan a hefyd yng ngogledd
Lloegr. Rhyddhawyd eu record gyntaf
yn 1965 ac erbyn hynny roeddynt
yn ddau o ddiddanwyr mwyaf
poblogaidd eu cyfnod. Yn y cyfnod hwn hefyd y daeth
Nia, merch Aled, i glyw'r Cymry. Yn ddeuddeg oed
canodd ar y rhaglen radio *Tipyn o Fynd* ac ar deledu ar
Hob y Deri Dando ac erbyn 1966 roedd ar record, mewn
deuawd â'i thad, Aled. Ar y record hon gan Dryw, a
hithau ond yn dair ar ddeg oed, clywir llais ac arddull
hynod o aeddfed a didwyll Nia mewn caneuon gwerin
hiraethus fel 'Tra Bo Dŵr y Môr yn Hallt' a 'Ple Buost ti
Neithiwr?' ac mae'r dyfnder teimlad yn 'O Fy Ngofidiau',
cyfieithiad Peter Hughes Griffiths o'r gân bop enwog
'All My Troubles', yn syfrdanol.

Erbyn 1967 roedd Nia ar record arall, y tro hwn mewn deuawd â Reg, partner canu ei thad, a'r canu, fel y nodir ar y clawr, yn rhywbeth "ffres, ifanc, gwahanol, newydd…" Roedd Nia wedi ei magu yn sŵn y canu pop a'r cyfan wedi ymdreiddio i'w hisymwybod ers pan oedd yn blentyn – "go brin ei bod yn cofio amser pan na chanai neu pan na chlywai ganu," meddai'r broliant ar gefn clawr y record hon ac roedd gan label Dryw hyder yn nhalent Nia: "Mae rhyw symledd, ifanc, taer yn ei llais a rhyw swyn naturiol… Rhyw ddydd yn o fuan, pwy a ŵyr na fydd hi fel rhyw Ddafydd Iwan yn rhuthro bob munud o lwyfan i stiwdio i lwyfan. Ac nid tua Llundain chwaith gobeithio, does arni ddim awydd mynd allan o Gymru." Ond tybed pa gyfleoedd a ddôi i'w rhan erbyn diwedd y 60au a dechrau degawd newydd y 70au?

Joan Baez, Salena Jones, Marie Knight, Helen Shapiro, Susan Maughan, Cher, Petula Clark, Nina Simone, Dusty Springfield, Françoise Hardy, Cilla Black, Lulu – enwau rhai o'r merched a oedd ar flaen y gad ym myd pop Lloegr, America, Ewrop a gweddill y byd yng nghanol y 60au. Y rhain oedd yn serennu ar y sgrin, ar donfeddi'r radio ac yn y *top twenty*, ac roedd rhyw deimlad cyffredinol bod y merched ar y blaen. Bu hyn yn sicr yn sbardun i ferched Cymru ac erbyn blynyddoedd olaf y 60au, roedd merched ar hyd a lled y wlad yn ymuno yng nghynnwrf y canu pop. Un â'i llais cynnes, dwfn a threiddgar i'w glywed ar record yn gynnar yn 1967 oedd Beth Leyshon. Canai drefniannau cyfoes, acwstig o ganeuon gwerin, fel 'Doli', 'Y Deryn Du a'i Blyfyn Sidan' a 'Bugeilio'r Gwenith Gwyn' i gyfeiliant cynnil Derek Boote ar y gitâr. Roedd y rhain yn drefniannau cellweirus ac arlliw o *swing* ar y gerddoriaeth a'r

canu. Enillodd ar ganu gwerin ychydig flynyddoedd ynghynt yn Eisteddfod Genedlaethol Llandudno yn 1963 ac Abertawe yn 1964, a bu'n canu ar nifer o raglenni radio a theledu Cymraeg. Un o bentref Bynea, Llanelli, oedd hi a hyfforddodd fel athrawes. Ar adeg rhyddhau'r record roedd yn athrawes yn Ysgol Gynradd Cilâ, Abertawe. Un arall o'r un ardal oedd Mia Lewis, o Gwm Tawe. Yn ferch ysgol, ei thad a fyddai'n ei hannog a'i pherswadio i ymgeisio mewn cystadlaethau talent yn Abertawe a Chaerdydd. "Iddo fe yn anad neb rydw i i ddiolch fy mod i ble rydw i heddiw," meddai Mia, yn 22 oed, mewn cyfweliad yn *Hamdden*. "O'i rhan ei hun buasai wedi rhoi'r ffidil yn y to erstalwm," meddai awdur yr erthygl, "ei thad a fynnodd iddi gario mlaen." Cafodd glyweliad efo'r BBC ac ymddangosodd ar nifer o raglenni pop Cymraeg ar y teledu. Yna cafodd glyweliad efo'r rheolwr Larry Page ac ymhen pythefnos roedd yn Llundain yn recordio ei record gyntaf i label EMI, *Nothing Lasts Forever*, a chafodd fynd ar daith gyda Tom Jones. Rhwng 1965 ac 1967 rhyddhaodd bum record ar labeli Decca a Parlophone.

Nid hi oedd y cyntaf o Gymru i recordio i EMI. Roedd llwyddiant y Cymro ifanc o Ddinas Mawddwy, Owen Gwynfor Evans, neu Mike Hudson i roi iddo ei enw llwyfan, wedi cael cryn sylw. Gyrrodd recordiad ohono'i hun yn canu at y cwmni ac fe arwyddodd gyda nhw yn 1965. Fe'i catapwltiwyd i amlygrwydd a bu'n canu ar raglenni teledu Saesneg fel *Juke Box Jury* a *Thank Your Lucky Stars*. Apeliai hyn at rai o'r cantorion Cymraeg, tra bo eraill â'u bryd ar lwyddiant cenedlaethol yng Nghymru ac ar ddiddanu cynulleidfaoedd brwdfrydig y Gymru a oedd yn prysur ailddiffinio ei thraddodiad cerddorol cyfoes.

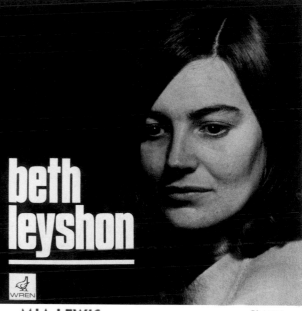

beth
leyshon

WREN

Wren EP

CYMRY'N
CANU
'66

BETI

LES

BRIAN

SION

TOM

MIA LEWIS

Wish I Didn't Love Him Slow
This Is The End Slow

DL 25192

DECCA

27

Y Pelydrau

Grŵp a gododd yn naturiol o draddodiadau cefn gwlad Sir Feirionnydd oedd Y Pelydrau, criw o bedair merch ac un bachgen. Cymaint fu eu dylanwad a'u hargraff ar y canu pop Cymraeg fel y disgrifiwyd hwy gan rai fel y Beatles Cymreig. Ennill y gystadleuaeth gân bop yn Eisteddfod Genedlaethol yr Urdd yng Nghaerfyrddin yn 1967 ddaeth â nhw i sylw cynulleidfaoedd Cymru, a'r gân fuddugol, 'Y Bachgen Llygad-ddu', yn un o'r caneuon ar eu record gyntaf, *Caneuon Serch y Pelydrau*, a ryddhawyd yn 1967 ar label Cambrian. Daeth y pump o Drawsfynydd ynghyd ar gyfer cystadlu yn Eisteddfod y Ffermwyr Ifanc yn Nolgellau yn 1966, ac o'r foment honno ymlaen doedd dim pall ar eu canu a'u hymddangosiadau mewn cyngherddau a nosweithiau llawen. Canodd y grŵp ar *Y Dydd*

Y PELYDRAU

yn 1967 a hefyd yn y Seiat Bop ar faes Eisteddfod Genedlaethol y Bala. Glenys Davies a Gwenan Jones oedd y ddwy soprano, Edith Barker a Susan Dobbs yn canu alto a Gareth Williams yn chwarae'r gitâr ac yn gofalu am drefniadau ariannol a theithio'r grŵp. Roedd Glenys hefyd yn chwarae'r gitâr a hi, gan amlaf, fyddai'n gyfrifol am gyfansoddi'r caneuon. Myfyrwyr oedd Glenys, Gwenan a Susan pan ryddhawyd eu record gyntaf, roedd Edith yn gweithio yn yr atomfa newydd a Gareth yn ffermio ar fferm y teulu yn Nhrawsfynydd. "Oedden ni'n canu efo'n gilydd yn

ifanc iawn," meddai Gwenan, "yn bump oed. Oedden ni'n mynd at Mrs L. E. Morris, mam Haf Morris. Hi oedd yn ein dysgu ni i ganu a wedyn mi ddaeth Gwyn Erfyl yn weinidog i'r pentre a Lisa ei wraig efo'r cerdd dant…" "Oedden ni'n canu llawer o emynau hefyd," ychwanega Edith, "a mae dylanwad cerdd dant ar ein caneuon ni." Yn rhifyn Rhagfyr 1967 o *Hamdden* roedd Y Pelydrau ar y clawr a'r erthygl y tu mewn yn eu canmol am ganu pop fel Cymry, yn hytrach na chanu cyfieithiadau a dynwarediadau o'r canu pop Saesneg. Roedd eu harmoni clòs, didwyll, eu geiriau a'u cerddoriaeth yn "wreiddiol, gartrefol a Chymreig".

Roedd Glenys a Gwenan yn canu llawer o ddeuawdau a daeth record gan y ddwy yn ddiweddarach yn 1967 a Glenys eto'n cyfansoddi'r geiriau a'r gerddoriaeth, gan gyfleu, yn ôl y clawr, "yn ei chaneuon protest y teimlad tanbaid sydd yng nghalonnau ieuenctid cyfoes Cymru, sef cyflwr ei gwlad a'i dymuniad am ryddid i'w chenedl". Daeth yr angerdd yma yn amlwg yn y gân 'O Na Bai fy Nghymru'n Rhydd'. Ar y llaw arall roedd Glenys hefyd yn cyfansoddi caneuon serch didwyll, rhai fel 'Deio Mwyn'.

Daeth ail record Y Pelydrau cyn diwedd 1967 a Gwyn Erfyl yn y broliant yn disgrifio i'r dim yr hyn a wnâi'r Pelydrau yn unigryw Gymreig ac mor boblogaidd: "Llais rhamant, cariad at fro a gwlad,

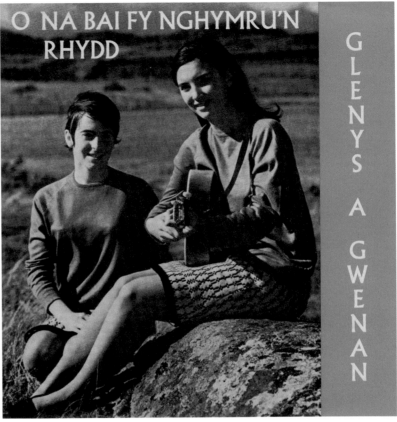

O NA BAI FY NGHYMRU'N RHYDD

GLENYS A GWENAN

llais bod yn ifanc a hapus yw llais Y Pelydrau; llais parhâd traddodiad Hedd Wyn mewn siwt newydd. A hir oes iddo, ac iddyn nhw!" "Roedden ni'n gwneud nosweithiau cyfan ein hunain, yn sgetsys ac yn y blaen," cofia Gwenan, "ac yn mynd o gwmpas Cymru a Lloegr yn canu. Roedd Gareth ac Edith yn Traws, Susan a Glenys yn y coleg yng Nghaerdydd a finna yn y coleg yn y Barri. Dim ond Glenys o'r genod oedd yn dreifio – hen mini fan a'r *exhaust* yn dod i ffwrdd yn aml a thorri i lawr o hyd… Oedden ni'n aml yn cael lifft efo Ryan neu Ronnie neu Bryn Williams. Oedden ni'n rhannu llwyfan efo nhw o hyd ac yn eu ffonio nhw'n aml am lifft!" Mae Susan yn cofio teithio'n ôl i Gaerdydd yn hwyr un noson: "Dwi'n cofio Ryan yn dod â fi 'nôl i Benarth i'r neuadd lle o'n i'n byw, yn hwyr, a methu mynd i fewn drwy'r drws ffrynt a dyma agor y ffenest a dringo i mewn am dri o'r gloch y bore, wedi dod yn ôl o Ŵyl Fawr Aberteifi neu rywle felly." "Ar y penwythnosau oedden ni'n canu fwya," meddai Gwenan, "ac yn y gwyliau mi roedden ni allan bob nos bron. Pan oedden ni'n mynd o gwmpas roedden ni'n cael nosweithiau hwyliog. Roedd popeth yn hwyl yr adeg hynny."

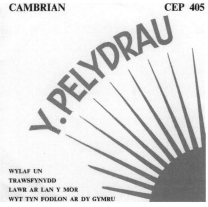

CAMBRIAN   CEP 405

Y.PELYDRAU

WYLAF UN
TRAWSFYNYDD
LAWR AR LAN Y MOR
WYT TYN FODLON AR DY GYMRU

Roedd y rhaglen bop newydd, *Disc a Dawn*, wedi taro'r sgrin deledu yn 1967 ac yn cynrychioli'r don newydd o gantorion pop Cymraeg, ton a fyddai'n cyrraedd ei hanterth dros y blynyddoedd nesaf ac yn arwain at gyfnod a welodd ddwysáu'r ymdeimlad o genedlaetholdeb. Dyma gyfnod o obaith i nifer wedi llwyddiant Gwynfor Evans yn cipio Caerfyrddin i Blaid Cymru yn etholiad cyffredinol 1966, cyfnod o brotestio tanbaid o blaid statws i'r iaith ac arwyddion ffyrdd Cymraeg ac yn erbyn yr Arwisgo. Cyn diwedd 1967 sefydlwyd siart recordiau Cymraeg am y tro cyntaf, siart 10 Uchaf *Y Cymro*. Cerddoriaeth y Cymry oedd yn bwysig bellach, a phobl ifanc Cymru yn dyheu am ragor o hawliau ac am ragor o ganu pop.

1968-1972

Recordiau, Steddfodau, Pinaclau a mwy…

Erbyn 1968 roedd mwy a mwy o recordiau pop Cymraeg yn cael eu rhyddhau gan yr amrywiol labeli, a Cambrian a Dryw yn arwain y ffordd. Daeth label arall ar y sin yn 1969, label a ffurfiwyd er mwyn ceisio codi safonau ym maes recordio yng Nghymru. Sain oedd y label newydd hwnnw, a ffurfiwyd gan ddau a oedd yn adnabod maes canu pop Cymru yn well na neb, sef Dafydd Iwan a Huw Jones. Bu Sain yn sicr ei arweiniad o ran safon recordio a safon ei artistiaid. Am gyfnod, hyd flynyddoedd cyntaf y 70au, gwelwyd math ar chwyldro o ran rhyddhau recordiau a degau ar ddegau o artistiaid yn rhyddhau rhai bron bob wythnos, ac yn eu plith, merched o bob cwr o Gymru. Dyma gychwyn y cyfnod y gellid ei ddisgrifio fel oes aur y canu pop, cyfnod o ddatblygu a chreu, cyfnod y Pinaclau Pop a'r Steddfod Bop. Roedd siopau recordiau yn codi mewn sawl ardal a'r gweisg Cymreig, megis y Lolfa, hefyd yn cyfrannu at y bwrlwm drwy gyhoeddi llyfrau o'r caneuon pop mwyaf poblogaidd. Clywyd *Helo! Sut da Chi?* am y tro cyntaf, sef rhaglen radio enwog Hywel Gwynfryn, a roddai le amlwg i ganeuon y dydd. Roedd y canu pop Cymraeg yn sgubo drwy'r wlad.

Roedd artistiaid pop yn ymddangos yng Ngŵyl yr Urdd o bryd i'w gilydd, ond roedd 1968 yn arwyddocaol gan mai dyma'r flwyddyn y bu gwyliau pop ar raddfa fawr am y tro cyntaf. Ym mis Mawrth 1968 cynhaliwyd Gŵyl Bop Wythnos Lyfrau Cymraeg Aberteifi. Yn ôl *Y Cymro*, "hon oedd yr enghraifft gyntaf o ganu cynulleidfaol yn yr idiom gyfoes", a soniwyd bod Peter Hughes Griffiths yn bwriadu trefnu un debyg ym Mhafiliwn Pontrhydfendigaid yn hwyrach yn y flwyddyn. Fe wnaeth hynny yng Ngorffennaf 1968, a dyma'r cyntaf o'r Pinaclau Pop enwog. Yn Aberteifi gwelwyd Caryl Owens, aelod o'r Triban, yn perfformio, a chriw o ferched o Ysgol Dinas, Aberystwyth ac Ysgol Uwchradd Aberaeron yn canu gyda'u gitârs. Ymhlith y merched ar lwyfan y Pinaclau Pop ym Mhontrhydfendigaid roedd Heather Jones, Mari Griffith, Helen Wyn, Y Pelydrau a Meinir Lloyd. Dafydd Iwan, Edward, Aled a Reg, Hogia Llandegai a Huw Jones oedd y sêr gwrywaidd. Roedd y cyfan yn digwydd yn enw'r Urdd, gan mai codi arian at Eisteddfod yr Urdd 1969 oedd y prif bwrpas.

Cynhaliai Plaid Cymru lawer iawn o nosweithiau llawen a chyngherddau, ac yng Ngheredigion, yn arbennig, roedd gweithgarwch y Blaid yn fwrlwm drwy'r sir. Grŵp a gafodd gyfle i flodeuo yn rhai o'r nosweithiau hyn oedd Y Tlysau, sef tair merch ifanc o Ysgol Uwchradd Llanbedr Pont Steffan a ddaeth at ei gilydd i ganu i ddechrau dan anogaeth eu prifathro a'u hathro Cymraeg, yn eisteddfod yr ysgol. Y tair oedd Gillian Davies ac Eirlys James, dwy gyfnither, a ffrind iddynt, sef Delyth Davies. Meddai Gillian:

> Roedd cymaint o fwrlwm yn Ysgol Llanbed. Fe gychwynnodd pennaeth newydd 'da ni pan oedden ni yn nosbarth pump a gaethon ni gefnogaeth aruthrol gan yr ysgol, y pennaeth a'r staff. Roedd 'na aelodau o'r staff oedd yn sgwennu geiriau i ni. Roedd 'na gymaint o fwrlwm cymdeithasol yn yr ardal ac roedd Plaid Cymru yn gryf iawn yn yr ardal, ac roedd aelodau o'r staff isie i ni sgwennu geiriau ac alawon a chymryd rhan yn y nosweithiau llawen di-ri oedd yn cael eu cynnal.

Mewn dim, cawsant wahoddiad i wneud record i gwmni Cambrian, a rhyfeddodd y tair wrth gyrraedd y stiwdio a gweld neb llai na Meic Stevens yn eistedd yn braf yn

y gornel gyda'i gitâr. A chwarae medrus Meic sydd yn gyfeiliant i'w cân 'Trên Bach' ar y record. Mae Delyth yn cofio cymryd rhan mewn rhaglen deledu arbennig, sef *Y Trên o Gân*, ac Idris Charles yn cyflwyno:

> Fe benderfynwyd cael y trên bach o Aberystwyth i Bontarfynach a chriw ohonom ni o Ysgol Llanbed a Dafydd Iwan a Doreen (Lewis) a'r Perlau. Llyfrgell Sir Aberteifi drefnodd y peth, i roi sylw a hysbýs i lyfrau'r llyfrgelloedd. Roedd hi'n gyfnod cyffrous a chyfoethog ac roedd llyfrgelloedd Sir Aberteifi, dan arweinyddiaeth Alun Edwards, y Llyfrgellydd, yn

rhoi pwyslais mawr ar ddiwylliant o fewn yr ardal ac roedd 'na gyfleoedd gwych i lawer ohonom ni.

Canodd Y Tlysau eu caneuon serch a'u caneuon protest mewn noson bop yn Eisteddfod Genedlaethol y Barri, a gwerthu llaeth yng ngharafán y Bwrdd Marchnata Llaeth drwy'r wythnos er mwyn talu am eu gwely a brecwast. Dyddiau da, ond byr fu hanes Y Tlysau, y grŵp o ferched ysgol a fwynhaodd eu hunain yn perfformio a diddanu ac a gyfrannodd i ddiwylliant cerddorol eu bro a'u gwlad.

"Roedd rhywbeth wedi digwydd yng Ngheredigion a grwpiau'n codi ym mhobman fel madarch dros nos a dweud y gwir," yn ôl Ann Morgan, aelod o'r grŵp Tannau Tawela, eto o ardal Llanbed, a fu'n diddanu am gyfnod byr ddiwedd y 60au a dechrau'r 70au. O bentref bach Silian y deuai Tannau Tawela ac roedd Ann, Kitty a Susan, dwy chwaer a ffrind a fagwyd yn sŵn murmur afon Tawela, yn brysur iawn ar y pryd yn diddanu cynulleidfaoedd ymhell ac agos. Roedd canu calypso'r 60au yn eu hudo ac o fewn dim, roedd ganddynt hwythau hefyd record ar label Cambrian. Fel Y Tlysau, merched y capel, yr ysgol Sul a'r Ffermwyr Ifanc oedd Tannau Tawela, yn mwynhau'r canu a'r perfformio. Roedd y dillad yn bwysig hefyd. Meddai Ann:

> Roedd 'da ni sawl ffrog, roedd mwy o ffrogiau 'da ni nag o ganeuon yn bendant! Ar y pryd doedden ni ddim yn sylweddoli pwysigrwydd y peth, ond roedd merch o'r enw Carol Kolczac, mae'n byw yn Aberystwyth nawr, yn gwneud y dillad i ni – hi oedd yn eu dylunio a'u gwneud nhw. Ychydig flynyddoedd yn ddiweddarach fe wnaethon ni ddarganfod ei bod hi'n gyfnither i David Emmanuel! Doedden nhw ddim yn costio lot i'w gwneud achos doedd dim lot o ddefnydd ynddyn nhw! Oedden nhw'n fyr iawn!

Bu Tannau Tawela yn teithio i'r gogledd i berfformio hefyd ac mae Ann yn cofio mynd gyda'r Tlysau ambell

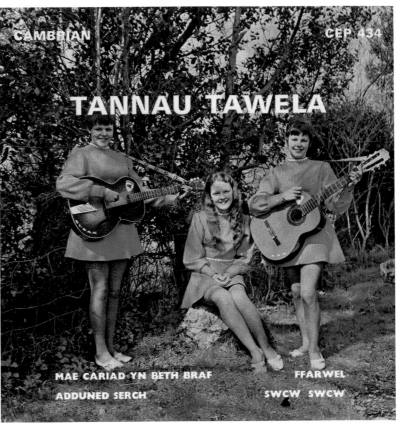

waith i'r Majestic yng Nghaernarfon, lle roedd Idris Charles yn trefnu nosweithiau pop ar nos Sul:

> Ar y dechrau roedden ni jyst yn gwneud pethau lleol, ond roedden ni'n canu efo'r Clwb Ffermwyr Ifanc ac roedd 'na gyngerdd mewn pentre tu allan i Lanbed ac roedd Hogia'r Wyddfa wedi dod i ganu ac Idris Charles wedi dod gyda nhw. A'r diwrnod wedyn fe ffoniodd Idris i'n tŷ ni. Fe ddaeth i'r tŷ ac yn sydyn reit, roedd Idris yn *'fanager'* i ni! A wedyn fe wnaeth ein byd ni newid achos roedden ni'n mynd lan i Gaernarfon un Sul bob mis a roedden ni'n gwneud yn siŵr ein bod

yn cael cymeradwyaeth achos roedden ni'n mynd â bws o bobl gyda ni, ein 'grwpis' ein hunain!

Pan ddaeth cyfnod coleg, roedd amser ymarfer yn brin, ond byddai'r ddwy chwaer, Ann a Susan, yn canu yn y gwyliau ym mharc carafannau Holimarine yng Ngheinewydd. Yno hefyd roedd cantores ifanc arall o'r ardal yn canu yn ystod yr haf, cantores a dorrodd ei chŵys ei hunan, yn sicr, a chantores a serennodd yn y maes am ddegawdau. Doreen Lewis oedd honno, ond ar y pryd, Doreen Davies oedd hi.

Roedd Doreen, y ferch fferm o Flaenplwyf, Felinfach, yn hen gyfarwydd â throedio llwyfannau eisteddfod a chyngerdd. "Dwi'n cofio canu cyn siarad bron," meddai, "a chanu oedd yn mynd â fy mryd o hyd ac o hyd, ac roedd digon o gyfleoedd." Cafodd gitâr yn anrheg pen-blwydd gan ei thad pan oedd yn bymtheg oed ac yn ei geiriau ei hun, roedd "wedi dwli arni. O'n i gymaint am y gitâr pan ges i hi o'n i'n methu ei rhoi hi i lawr. O'n i'n ymarfer rhyw wyth neu naw awr y dydd a mewn tair wythnos o'i chael hi mi ddes i i ben â chanu mewn cyngerdd gyda hi." Cyfansoddai ei

Y Perlau

Fe gododd sawl cantores a grŵp arall yng Ngheredigion, rhai fel Merched Gwenog a fu'n perfformio'n aml gyda Bois y Blacbord. Bu'r Gemau o Bontrhydygroes yn amlwg hefyd gan wneud record i gwmni Dryw yn 1968. Yr aelodau oedd Meinir Jones, Delyth Hopkins a Llinos Jones. Roedd Delyth yn unawdydd amlwg yn yr eisteddfodau a daeth yn ddiweddarach, wrth gwrs, yn un o enillwyr y Rhuban Glas yn yr Eisteddfod Genedlaethol. Ymddangosodd y tair ar raglenni fel *Hob y Deri Dando* a *Llafar a Chân* a chanent ganeuon wedi eu cyfansoddi gan Delyth a'r geiriau yn aml gan eu hathro Cymraeg yn yr ysgol, John Roderick Rees.

Un o grwpiau amlycaf yr ardal oedd Y Perlau, tair merch o dref Llanbed – Dawn Evans, Llinos Jones a Rosalind Lloyd. Cyfansoddai'r tair eu caneuon gwreiddiol eu hunain gan fenthyg geiriau ambell waith gan feirdd lleol a gan fam Rosalind, Muriel Lloyd, a oedd ei hun wedi ennill mewn eisteddfodau lu am ganu. Rhoed peth o'u cefndir ar glawr eu record gyntaf:

O fewn cyfnod byr mae'r triawd afieithus yma o ferched ieuanc wedi ennill bri mawr a gwobrau lawer drwy dde a gogledd Cymru. Fel llawer o grwpiau pop Cymru y mae'r merched yma wedi eu gwreiddio'n ddwfn yng ngherddoriaeth draddodiadol Cymru cyn mentro i'r dull newydd sy'n sgubo fel tân gwyllt

chaneuon ei hun yn ifanc iawn a'r gân gyntaf iddi ei chyfansoddi, pan oedd yn un ar bymtheg oed, oedd 'Y Storm', sydd i'w chlywed ar ei record gyntaf, yn 1969, ar label Cambrian. Datblygodd Doreen, â'i llais cyfoethog a chynnes, ei harddull gerddorol unigryw ei hunan y gellir ei disgrifio fel canu gwlad Cymreig a digon o fynd iddo. Roedd rhyw angerdd yn ei llais ac roedd yn un â'i gitâr. Aeth ymlaen i ryddhau sawl record ar labeli Tryfan, Sain a Fflach a theithiodd yn helaeth, yng Nghymru a thramor, yn canu ffefrynnau fel 'Nans o'r Glyn' a 'Rhowch i mi Ganu Gwlad'.

drwy'r wlad. Mae'r dair yn bencampwyr ar ganu penillion a hyn yn sicr sy'n gyfrifol am ansawdd uchel a swyn eu canu cyfareddol fel grŵp.

Saethodd eu record gyntaf, sef 'Cariad', i frig siart *Y Cymro* ac roeddynt yn amlwg mewn nosweithiau lu, megis Pigion Pop Llanrwst ym Mehefin 1969 a Poporama Pontrhydfendigaid. Yn wir, yn eu blwyddyn gyntaf, buont yn canu mewn cymaint â 72 o gyngherddau, yng Nghymru ac yn Llundain. Nodwyd yn *Asbri* ym Mehefin 1973, wrth edrych yn ôl ar y

60au, fod gan Y Perlau sŵn gwahanol a newydd ar y pryd, a'r cyfuniad o organ drydan, gitâr a lleisiau yn unigryw. Roedd cystadlu yn eu gwaed a ffurfio ar gyfer cystadlu yn Eisteddfod yr Urdd a wnaethant, yn 1968. Yn *Hamdden*, Ebrill 1969, soniwyd sut yr oedd y ffasiwn yn newid o ran cystadlu a pherfformio: "… lle bydden nhw bum mlynedd yn ôl wedi mynd ati i ffurfio parti penillion, maen nhw nawr yn troi i fyd y gitâr a'r pop. Ac wrth gwrs mae ôl y brentisiaeth a'r ddisgyblaeth a'r hyfforddi ar eu canu. Y cyfrwng yn unig sydd wedi newid."

Roedd un o aelodau Y Perlau yn
prysur wneud enw iddi ei hun fel
cantores unigol, ac yn fuan iawn
roedd wedi mentro ar ei phen ei
hun. Rosalind oedd honno a daeth
llwyddiant mawr i'w rhan erbyn
diwedd y 60au. Chwaraeai Rosalind
y delyn a'r piano, ac roedd ganddi
flynyddoedd o brofiad o gystadlu
mewn eisteddfodau a chanu mewn
cyngherddau gyda'i mam a'i modryb.
"Diau mai'r profiad hwn o ganu
cerdd dant sy'n cyfrif am y tinc
arbennig yn llais Rosalind," medd
Asbri yn Hydref 1970. Ac roedd 'na
dinc go arbennig yn y llais – rhyw
daerineb a chynnwrf a ddaeth â
hi i'r brig yn sydyn. Ymunodd â
Chôr Dewi Sant, Llanbed, a thrwy
hyn cafodd wahoddiad i ganu
gyda grŵp o bedwar myfyriwr ar
gyfer yr wythnos rag yn y coleg.
Caneuon Nina & Frederick a Peter,
Paul and Mary a ganai'r grŵp ac o
hyn daeth awydd mawr yn Rosalind
i ddysgu chwarae'r gitâr, a chanai
gyfieithiadau i ddechrau, cyn
mentro i gyfansoddi ei hun. Daeth
ei record gyntaf allan yn 1970, ar
label Cambrian, *Llais Swynol Rosalind
Lloyd*, ac yn fuan iawn wedyn cafodd
glyweliad yn Abertawe ar gyfer y
rhaglen deledu Saesneg *Opportunity
Knocks*, er iddi bron â methu

Rosalind Lloyd

cyrraedd yno gan iddi hi a'i mam orfod treulio'r noson cynt yn y car gan iddyn nhw fynd yn sownd yn yr eira yn Nhal-y-llyn ar y ffordd yn ôl i lawr i'r de wedi cyngerdd yn Llandudno! Cyrhaeddodd y clyweliad ac mae'r gweddill yn hanes. Hi oedd y gyntaf i ennill ar y rhaglen yn canu cân Gymraeg. 'Cariad Fel y Moroedd' oedd honno, y geiriau gan ei mam a'r gerddoriaeth gan Rosalind. Cafodd y bleidlais fwyaf i neb ei chael erioed a chafodd fwy eto ar ei hail ymddangosiad. Yn rhaglen yr enillwyr, cân gan Cilla Black a ganodd, yn Saesneg, ond nid ei dewis hi oedd hynny! Cafodd gyfle i recordio'r gân yn Llundain, ond yn Gymraeg y tro hwn, gan fod llawer gwell hwyl ar ei chanu yn Gymraeg, yn ôl Rosalind, ac fe'i rhyddhawyd ar record ar label Phoenix yn Llundain, record a gynhwysai hefyd eiriau Eifion Wyn, 'Ora Pro Nobis', ar gerdd dant. Daeth record arall

ganddi ar label Cambrian yn 1971 a rai blynyddoedd yn ddiweddarach, yn 1974, rhyddhawyd record hir ganddi ar label Dryw.

Anrhydedd arall a ddaeth i'w rhan oedd teitl Miss Asbri, 1970 – y Miss Asbri gyntaf crioed, a'i gwobr? Penwythnos yng nghwmni Hywel Gwynfryn. "Aethom i glwb Titos yng Nghaerdydd," meddai Rosalind, "a Bob Monkhouse oedd yno'n diddanu. Roeddwn yn methu stopio chwerthin am ben Hywel a dwi'n cofio bod ei dei wedi mynd i mewn i'r cawl!" Blodeuodd gyrfa Rosalind ac yn ogystal â serennu fel unawdydd, bu'r bartneriaeth gerddorol rhyngddi a'i gŵr, Myrddin, yn un hynod o lwyddiannus, a welodd y ddau yn recordio sawl albym a sawl cyfres deledu. Mae gan Rosalind atgofion melys wrth edrych yn ôl ar gyfnod y 60au a'r 70au, cyfnod a roddodd gychwyn mor gyffrous i'w gyrfa gerddorol:

Roedd y Pinaclau Pop yn cael eu cynnal drwy Gymru a thua deuddeg neu fwy o artistiaid ym mhob cyngerdd a phawb yn edrych ymlaen i gyfarfod bob penwythnos. Roedd bywyd yn llawn cyffro a bwrlwm. Roedd hi'n braf cael teithio i wahanol ardaloedd a chyfarfod a gwneud ffrindiau newydd. Cyfnod arbennig iawn.

Yng nghanol berw gwyllt y nosweithiau pop a gynhelid ar hyd a lled Cymru erbyn diwedd y 60au, yn araf bach roedd dylanwad yr hen noson lawen yn edwino a'r pop Cymraeg yn datblygu ar raddfa nas gwelwyd o'r blaen. Fel y dywed Dafydd Iwan:

> Yn raddol, fe dyfodd nifer o grwpiau merched mwy popaidd eu naws. Grwpiau lleol oedd rhain, heb gysylltiad â cholegau, ac roedd eu harddull yn eithaf tebyg, yn gyfuniad o ganu gwlad a chanu pop, gyda dogn o ddylanwad y canu emynau hefyd yn eu harmoni. Roedd nifer o'u caneuon ar alawon poblogaidd y dydd, ond llawer hefyd yn wreiddiol. Oherwydd twf y teimlad cenedlaethol ac ymgyrchoedd Cymdeithas yr Iaith, roedd nifer helaeth o'r caneuon yn sôn am gariad at Gymru a'r iaith ac am 'ryddid'.

Soniodd Gwynfor Evans, Aelod Seneddol newydd Sir Gaerfyrddin ar y pryd, am y brwdfrydedd newydd yma yn y canu cenedlaethol yn y rhifyn cyntaf o'r cylchgrawn *Asbri*:

> Trwy'r wlad, o Fôn i Fynwy, y mae'n destun syndod pleserus i mi fod canu Cymraeg gan ein grwpiau ifanc yn cael croeso a chefnogaeth mor ryfeddol. Gwna'r canu hwn gyfraniad gwerthfawr a phwysig i ysbryd ac asbri bywyd y genedl. Mae cenhedlaeth newydd wedi dod i ddeffro Cymru o'i hir lesgedd, a hyfryd dros ei thir yw sain eu halawon newydd yn yr heniaith.

Tra bo merched ardal Llanbed yn canu ddydd a nos, yr un oedd y sefyllfa yn Eifionydd hefyd, ac yno y daeth grŵp Y Clychau at ei gilydd, "pedair merch hyfwyn o Chwilog, o'r fro rhwng môr a mynydd," fel y'u disgrifir

ar glawr eu record i label newydd ar y pryd, sef Tŷ ar y Graig, yn 1969. Roeddynt yn aelodau o'r un capel ac yn organyddion yno. Roedd dwy o'r merched, sef Nan Jones a Magwen Jones, dwy gyfnither, yn y coleg, Nan yn Aberystwyth a Magwen yn y Coleg Normal. Erbyn hyn, mae'r ddwy, a gaiff eu hadnabod bellach fel Nan

Elis a Magwen Pughe, wedi serennu yn y byd cerdd yng Nghymru. Meirwen Jones a Meryl Jones oedd y ddwy arall. Daeth Meryl yn Llywydd Cenedlaethol Merched y Wawr yn 2014. Cyfansoddai'r pedair eu caneuon eu hunain a buont yn brysur yn diddanu am gyfnod o ryw flwyddyn neu ddwy. "Cynnyrch naturiol y diwylliant Cymraeg" oedd Y Clychau a'u caneuon, fel y disgrifiodd John Morris hwy ar glawr y record. Canasant gyntaf erioed yng nghymdeithas ddiwylliannol Capel Uchaf, Chwilog, "cyn dechrau tincial mewn eisteddfod, noson lawen, rali, cymanfa a sasiwn".

CAMBRIAN CEP438
Y MELINWYR

O Fab Dyn
Mae Na Wers
Y Gusan Gyntaf
Fy Nghariad

Perlau Tâf

Yng Nghaerfyrddin, roedd criw o ferched o ardal Bancyfelin, dan yr enw Y Melinwyr, yn canu mewn cyngherddau ac ar raglenni teledu ac yn crwydro'r wlad gyda'u canu harmoni clòs a bywiog. Marian a Meinir Evans, dwy chwaer, a Margaret Hughes a Carol Thomas oedd yr aelodau. Adroddir yn *Asbri*, Mawrth/Ebrill 1970, fel y bu iddynt "ei disco hi" unwaith, gan iddynt ryddhau record ar label Cambrian. Cawsant ymddangos ar y teledu ar *Disc a Dawn* a chanent amrywiaeth o ganeuon gwerin a phop, yn ganeuon serch ac yn rhai a gyfeiriai hefyd at ryddid cenedlaethol. Yn y gân 'Y Gusan Gyntaf' clywir yn glir apêl lleisiau ysgafn, ffres a bywiog Y Melinwyr. O'r un ardal y daeth Perlau Tâf, ac er nad grŵp merched oeddynt, roedd y merched yn flaenllaw iawn yn y grŵp ac yn flaengar yn y canu. Dyma grŵp a wnaeth eu marc yn sicr ar ganu pop y cyfnod a daeth eu cân wladgarol 'Mynd Mae Ein Rhyddid Ni' yn un o ganeuon amlycaf y dydd. Roedd gwreiddiau'r grŵp ym mhentref Login, Sir Benfro, a phan ryddhawyd eu record gyntaf ar label Welsh Teldisc, yn cynnwys y gân hon, yn 1969, roeddynt i gyd yn ddisgyblion

Y Briallu

yn Ysgol Ramadeg Hendy-gwyn ar Daf. Arweinydd y grŵp oedd eu hathro mathemateg yn yr ysgol, sef John Arfon Jones, ac roedd y grŵp yn cynnwys tair merch, Carol Llywelyn, Mary Rees a Beti Williams, a'r ddau frawd, Tecwyn Ifan ac Euros Rhys. "Plant y deffro yw Perlau Tâf," meddai Dafydd Iwan ar glawr eu record gyntaf, ac yn sicr, cyfrannodd Perlau Tâf at y deffroad mawr ym myd y canu pop. Erbyn 1970 roeddynt yn dathlu eu canfed cyngerdd a pha ryfedd, gan iddynt fynd allan i ganu gymaint â phedair gwaith yr wythnos ar adegau! Llwyddodd Perlau Tâf i bontio rhwng y canu mwy traddodiadol a'r canu pop newydd, ac fel yr adroddwyd yn *Asbri* amdanynt: "Caiff y dyrfa fach mewn capel anghysbell yn y wlad yr un sylw a pherffeithrwydd ganddynt â'r cannoedd mewn cyngerdd pop."

Roedd dylanwad yr ysgol Sul ar eu canu ond llwyddent hefyd i gyfuno hynny gyda chaneuon cyfoes a gwladgarol, gan greu eu sŵn newydd, unigryw eu hunain. Aeth y grŵp ymlaen i berfformio am sawl blwyddyn gan ryddhau eu record olaf ar label Sain yn 1975. Erbyn hynny roedd Carol wedi gadael ac ymunodd Siân Williams ac Eirlys Davies. Wedi i'r grŵp ddod i ben yn 1977, ffurfiodd merched Perlau Tâf y grŵp Beca.

Yn Nyffryn Nantlle, roedd grŵp o ferched yn canu dan yr enw Y Briallu. Pam Nottingham, Eleri Hughes ac Ann Jones oedd Y Briallu a chyfansoddwyd mwyafrif y caneuon gan Pam ac Eleri. Wedi ffurfio i ganu ym mharti Nadolig Ysgol Dyffryn Nantlle, cafodd y tair disgybl chweched dosbarth flas arni a buont yn aml ar y teledu ac ar lwyfannau

gwaith ysgol gael blaenoriaeth dros y canu!" "Roedd rhywbeth pur, bron yn iasol ei naws yn eu canu," yn ôl y casglwr recordiau Rhys Jones, "ac erbyn hyn mae eu record i label Dryw yn un brin a gwerthfawr iawn yng ngolwg y casglwyr." Yn sicr, roedd rhyw ddyfnder cyfoethog i'r lleisiau a rhyw rythm hamddenol, apelgar yn y gân 'Hiraeth', ac 'agwedd' yn sicr yn y canu.

cyngherddau a nosweithiau llawen. "Roedd Pam a fi yn chwarae'r gitâr ac Ann yn chwarae'r tamborîn," meddai Eleri, "un bach del efo 'Y Briallu' wedi'i sgwennu arno! Caneuon serch digon syml oedden ni'n eu canu. Mi fuon ni ar raglenni fel *Disc a Dawn* a *Llafar a Chân* ac yn canu o gwmpas i ganghennau Merched y Wawr, cymdeithasau capeli ac mewn cartrefi henoed. Wedyn mi gawson ni wahoddiadau i fynd i lefydd fel y Majestic yng Nghaernarfon, y Plaza ym Mangor a Pigion Pop y Drenewydd. Dwi'n cofio cael fy ngalw i ystafell y prifathro a chael rhybudd fod yn rhaid i'r

Wedi ei swyno gan Hogia Llandegai pan ddaethant i gynnal noson ger ei chartref ym Metws Gwerful Goch, a'i hysbrydoli i gydio yn y gitâr, penderfynodd Margaret Edwards ffurfio Lleisiau'r Alwen gyda dwy ffrind, sef Enid Owen a Helen Roberts, a oedd yn byw ar ffermydd cyfagos. Ar ôl iddynt ddod yn fuddugol yn Eisteddfod y Ffermwyr Ifanc, Helen ar y piano, Enid ar y drwm, Margaret ar y gitâr a'r tair yn canu, tyfodd eu poblogrwydd a buont yn canu mewn nosweithiau di-ri gyda Hogia Llandegai, Hogia'r Wyddfa a nifer o berfformwyr eraill y dydd. Buont hefyd yn teithio

Cymru a Lloegr yn perfformio gyda Trebor Edwards, y canwr poblogaidd o'r un pentref, cyn recordio, yn ddiweddarach yn y 70au, gyda label Tryfan, un o labeli cwmni Sain.

Cwm Gwendraeth oedd tiriogaeth Y Deniadau, grŵp o bedair merch, sef Linda Stephens, Delyth Thomas, Awen Lewis a Siân Walters. Yn ogystal â rhannu llwyfan mewn cyngherddau a nosweithiau llawen gyda sêr eraill y dydd, rhai fel Hogia'r Wyddfa, Dafydd Iwan, Ryan a Ronnie a Max Boyce, buont ar raglenni *Y Dydd* a *Disc a Dawn*, ymhlith eraill. Bu'r Diliau a'r Pelydrau yn ddylanwad mawr arnynt a chanent gyfieithiadau o ganeuon Saesneg y dydd, caneuon poblogaidd Tony ac Aloma a Dafydd Iwan ac ambell gân wreiddiol. Canodd Y Deniadau lawer iawn yn eu milltir sgwâr yn Sir Gaerfyrddin. "Dwi'n cofio'r bwyd cartre bendigedig yn dilyn cyngherddau mewn neuaddau pentref gwledig," meddai Linda, "a dwi'n cofio hefyd meddwl ein bod yn hynod o bwysig wrth i ni gael stafell i ni'n hunain ar gyfer newid ac ymlacio rhwng eitemau tra'n diddori gwesteion yng ngwesty'r Llwyn Iorwg, Caerfyrddin, a chofio'r wefr wrth weld pobl ar eu traed yn curo dwylo ac yn galw am fwy o ganu." Câi'r Deniadau eu gwahodd i nifer o ddigwyddiadau y tu allan i'r sir hefyd, fel y noson lawen enwog yn Eisteddfod yr Urdd y Barri, 1968. Daeth gwahoddiad i recordio ond rhywsut neu'i gilydd ni ddaeth lleisiau'r Deniadau i fod ar record.

Roedd 1969 yn flwyddyn pan welwyd sefydlu mwy nag un label recordio newydd. Yn ogystal â Sain, daeth Recordiau'r Ddraig hefyd i fodolaeth y flwyddyn honno, a D. Ben Rees, Lerpwl, wrth y llyw. Llond llaw o recordiau yn unig a ryddhawyd ganddynt ac ymysg y rheiny roedd record gan y triawd Jean, Linda a Graham a record gan Brethyn Cartref, sef tair chwaer o Ddyffryn

Y Saethau

Nantlle, Eryl, Marian a Heulwen, y gerddoriaeth i'r caneuon wedi ei chyfansoddi gan y merched a'r geiriau gan John Llewelyn Roberts o Benygroes. Caneuon fel 'Babi Dol' ac 'Wrth Noswylio' oedd ganddynt a bu'r grŵp yn canu ar *Y Dydd* a *Sgubor Lawen*. "Brethyn Cartref yn wir yw cu cynnyrch yn ogystal â'u gwisg," meddai Richard Morris Jones ar glawr y record a bu'r tair yn brysur yn diddanu, gan ymarfer ar yr aelwyd gartref pan fyddent ar eu gwyliau o'r coleg.

Grwpiau merched eraill amlwg yn y cyfnod oedd Llwynau Llwni (Llanllwni), Merched y Gorog (Pumsaint, Sir Gaerfyrddin), Tannau Tywi, Y Ddwy Marel (Sir Benfro), Y Saethau (Llan Ffestiniog), Clychau'r Llan (Llanddarog), Y Potiau Mêl (Llanuwchllyn), Genod Ni, criw o ferched a fu'n canu gyda'i gilydd yn y grŵp cymysg Parti Eryri, a Gwawr, o Fangor, oedd yn cynnwys un aelod sy'n Aelod Cynulliad Arfon erbyn hyn, sef Siân Gwenllian. Cymaint oedd nifer y grwpiau merched a ganai, yn aml am Gymru ac am serch, fel y ffurfiodd Meic Stevens, Heather Jones a Geraint Jarman y grŵp hwyliog Y Bara Menyn. Wrth edrych yn ôl ar y cyfnod hwn ni chofia Dafydd Iwan am unrhyw ragfarn nac agwedd arbennig at ferched y byd canu Cymraeg:

Yr unig awgrym o feirniadaeth oedd y ffaith i'r Bara Menyn weld yn dda i'w dychanu. Ond yr oedd hynny efallai yn nodwedd o agwedd

Gwawr

CYMYLAU

y Cymry mwy dinesig tuag at ddiwylliant diniwed braidd cefn gwlad. Ceir adlais o'r un agwedd heddiw yn y rhagfarn yn erbyn canu gwlad. Mae'n bwysig cofio, serch hynny, fod y canu gwladgarol, swynol hwn, yn gwbl ddidwyll, ac yn tyfu o'r un diwylliant a welodd Gwynfor Evans yn cipio sedd Caerfyrddin yn isetholiad hanesyddol 1966.

"Bron gall rhywun awgrymu fod eu delwedd yn fwy San Francisco na Llan Ffestiniog," meddai Rhys Mwyn am Y Bara Menyn mewn erthygl yn *Y Casglwr*, "gyda'r ddelwedd *flower power* yn amlwg ganddynt. Dyna'r bwriad yn sicr – gwneud y Gymraeg yn rhywbeth apelgar, deniadol a chyfoes." Cofia Dafydd Iwan am hwyl a mwynhad y cyfnod:

Cefais y fraint o rannu llwyfan gyda llawer iawn o'r artistiaid hyn. Roedden nhw'n mwynhau canu ac yn mwynhau plesio'r gynulleidfa. Roedd hi'n gyfnod arbennig o ddeffro cenedlaethol ac roedd ymgyrchoedd Cymdeithas yr Iaith rhywsut yn gefndir i'r cyfan ac yn ddolen gyswllt rhyngom, a bathodyn Tafod y Ddraig neu'r Blaid ar lawer gitâr. Atgofion melys iawn sydd gen i o'r cyfnod.

Roedd sawl grŵp yn codi yn yr ysgolion yng Nghymru. Yn Ysgol Uwchradd Aberteifi roedd grŵp o ferched yn canu dan yr enw Y Llygaid ac yn Ysgol Gyfun Dyffryn Aman roedd dwy chwaer, sef Linda a Pat Morgan, a'u ffrind, Catryn, wedi ffurfio grwp o'r enw

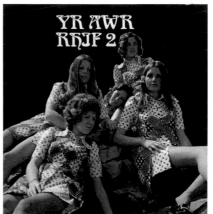

Y Cymylau. Daeth Y Cymylau yn enillwyr cyson mewn eisteddfodau a daethant yn adnabyddus hefyd ymhlith gwersyllwyr Glan-llyn. Rhyddhawyd record ganddynt ar label Dryw yn 1972. Daeth Pat yn enw amlwg yn y sin gerddoriaeth Gymraeg rai blynyddoedd yn ddiweddarach fel ail hanner y grŵp dylanwadol Datblygu. Chwech o ferched o Ysgol Gyfun Mynyddbach, Treboeth, Abertawe, oedd Yr Awr, sef Lynne Williams, Patricia Anderson, Elizabeth James, Mair Hughes, Jean Paton a Sharon Vice. Canent gyfieithiadau o ganeuon Joni Mitchell

a'r Beatles, ymhlith eraill, ac ambell gân Gymraeg gan gyfoedion megis Geraint Davies. Rhyddhawyd dwy record ganddynt ar label Dryw, yn 1970 ac 1971. Yn Ysgol Ramadeg y Merched yng Nghaerfyrddin roedd Catrin Edwards, a ddaeth yn amlwg maes o law fel cyfansoddwraig nifer o ganeuon pop y cyfnod, mewn grŵp gyda'r bardd Menna Elfyn a Helen Gwynfor, sef Y Crysau Cochion. Symudodd Catrin i Ysgol Rhydfelen ac yno bu mewn grŵp o'r enw Tu Hwnt gydag un o sêr roc y dyfodol, drymiwr Edward H Dafis, sef Charles (Charli) Britton, ac Ann Hopcyn ac eraill. Yn wir, cawsant eu henwi gan Huw Evans, colofnydd pop y *Carmarthen Times*, yn y cylchgrawn *Asbri* yn 1971, fel un o'r grwpiau y dylech fynd i'w clywed yn y cyfnod: "Pan gewch y cyfle, ewch i wrando ar bobl fel Y Tebot Piws, Tu Hwnt, Y Sŵn, Y Nhw a'r Dyniadon Ynfyd Hirfelyn Tesog. Yn sicr, i'r cyfeiriad hwn y dylid anelu. Miwsig yr ifanc, miwsig cyfoes – dyna'r nod."

Ond nid Tu Hwnt oedd yr unig grŵp i godi o Ysgol Rhydfelen, yr ail ysgol uwchradd Gymraeg i'w sefydlu yng Nghymru, yn ôl yn 1962. Daeth Y Cyffro i'r amlwg pan enillon nhw'r wobr gyntaf am y grŵp pop gorau yn Eisteddfod yr Urdd, Llanrwst, yn 1968, gyda'r gân 'Serch'. Helen Bennett, Janet Thomas, Siân Evans, Ann Price, Gweneira Evans, Eirlys Britton a Charli Britton eto, sef brawd Eirlys, oedd yr aelodau. Cawsant eu dylanwadu gan rai o'r grwpiau pop Seisnig a oedd â delwedd fwy modern a dinesig, ond dywed Janet fod Y Diliau yn ddylanwad pendant arnyn nhw a buont yn rhannu llwyfan â'r Diliau ac eraill fel Y Perlau, Tony ac Aloma a Huw Jones yn un o'r Pinaclau Pop yn Llanpumsaint. "Roedd hi'n ffasiynol ar y pryd i ferched y grŵp wisgo'r un dillad neu'r un lliw dillad,"

meddai Helen, "a dwi'n cofio un tro i ni i gyd brynu ffrogiau *psychedelic* llachar i berfformio! Fe gawson ni lot fawr o hwyl gyda'n gilydd ond erbyn 1969 roedden ni ferched i gyd mewn colegau gwahanol a dyna ddiwedd ar Y Cyffro." Mae gan Eirlys Britton atgofion braf am y cyfnod hefyd:

> Dwi'n cofio i ni berfformio yn y Cory Hall yng Nghaerdydd, sydd bellach wedi ei dynnu i lawr. Ryan a Ronnie oedd *Top of the Bill*. Dwi'n cofio meddwl bod hwnna'n dipyn o gìg i ni ar y pryd – y lle'n orlawn ac wrth feddwl yn ôl doedd dim

bar yno! Fyddai hynny'n digwydd nawr?! ... Dwi'n meddwl ein bod ni'n anarferol achos ein bod ni'n defnyddio drymiau. Roedd pawb ar y pryd yn defnyddio gitâr a phiano ond roedd y drymiau efallai'n ein gwneud ni'n fwy popaidd.

Nid Y Crysau Cochion oedd yr unig grŵp i Menna Elfyn a Helen Gwynfor fod yn rhan ohono chwaith. Yn yr un eisteddfod ag yr enillodd Y Cyffro ynddi, yn Llanrwst, 1968, daeth merch ifanc o'r enw Joan Gealy i'r brig ar y gân bop

Tudalen o rifyn cyntaf cylchgrawn Asbri, Mai 1969

unigol a dwy arall yn cyfeilio iddi, sef Menna a Helen. Gyda'i gilydd nhw oedd Y Trydan. Rhyngddynt llwyddasant i greu sain acwstig, blaengar a mentrus. Bu canu protest o bob math yn ddylanwad arnynt, er mai caneuon serch, cyfoes eu hagwedd, oedd y mwyafrif o'r caneuon ar eu record i gwmni Dryw yn 1969. "Doeddwn i ddim yn credu ein bod o ddifrif o gwbl fel grŵp," meddai Menna Elfyn, "er i ni ennill yn Eisteddfod yr Urdd Llanrwst efo'r gân 'Rhoddais Fryd'. Dwi'n dal i'w chwarae hi weithiau. Y delyn

oedd fy offeryn i ac roedd yn flinderog i gario honno o gwmpas i wahanol gìgs… Pan es i i'r coleg, daeth y grŵp i ben yn naturiol, fel oedd yn digwydd i nifer o grwpiau bryd hynny." Yn y rhifyn cyntaf un o'r cylchgrawn *Asbri* yn 1969 roedd Y Trydan a'r Cyffro yn cael cryn ganmoliaeth am eu blaengarwch: "Mae'r ddau grŵp yma, gyda'u caneuon gwreiddiol a'u hagwedd newydd tuag at y canu ysgafn Cymraeg wedi rhoi safon i ganu pop Cymru. Canu pop a wna'r ddau grŵp yma, nid canu gwerin… dyma ddau grŵp ifanc o safon."

Bu'r Urdd yn fodd i hybu gweithgarwch ym maes y canu pop yn ystod blynyddoedd olaf y 60au a'r 70au. Roedd dod i'r brig yn y gystadleuaeth unigol neu grŵp yn arwain at sylw cenedlaethol, galwadau i berfformio ar lwyfannau hwnt ac yma, ac, efallai, pe baech chi'n lwcus, cyfle i wneud record. Rhai o'r grwpiau ddaeth i'r amlwg yn y cyfnod hwn oedd Blodau Banw efo'u cân hwyliog 'Caru ar y Ffôn', Y Briwsion o ardal Llanrwst a'r Ceisiaid o'r Bala. Ymysg yr unawdwyr llwyddiannus roedd Jini Owen o Aelwyd Llandudno, Rhian Jones o Langwm a Jane Evans, a ddaeth i'r brig yn Eisteddfod yr Urdd Aberystwyth, 1969, yn canu cân eiconig Rhys Jones, 'O Gymru'. Disgybl yn Ysgol Uwchradd Treffynnon oedd Jane ac aeddfedrwydd ei chanu llawn enaid wedi tynnu cryn sylw yn yr Eisteddfod. Daeth gwahoddiad i recordio i gwmni Cambrian a daeth Jane a chriw o'i chyd-ddisgyblion, a gâi eu hadnabod fel Diliau Dyfrdwy, sef Christine Hughes, Brenda Flanagan, Janet Lloyd Lewis, Alison Caithness, Eleri Wyn Gruffydd a Delyth Hughes, yn enwog trwy Gymru gyfan. Roedd Jane o gartref di-Gymraeg ond o dan ddylanwad ei hathro cerddoriaeth, Rhys Jones, cyfansoddwr y gân boblogaidd, daeth yn rhan o fwrlwm pop Cymraeg y cyfnod ac yn rhan o hanes drwy fod y cyntaf i ganu un o hoff ganeuon cyfoes y genedl.

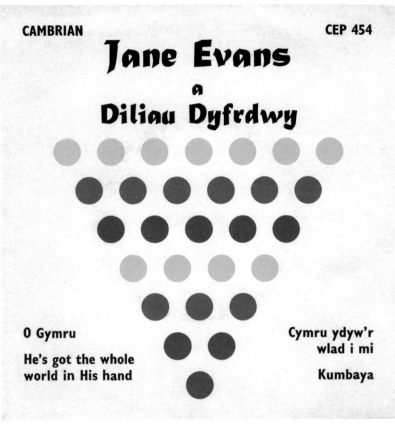

CAMBRIAN

CEP 454

Jane Evans
a
Diliau Dyfrdwy

O Gymru

He's got the whole world in His hand

Cymru ydyw'r wlad i mi

Kumbaya

Ond nid pawb oedd yn grediniol bod cefnogaeth yr Urdd i ganu pop yn rhywbeth i'w glodfori. Roedd yr eisteddfodau yn mygu datblygiad canu pop Cymru yn ôl Huw Evans yn *Asbri*, Hydref 1972, a'r merched yn cael llawer gormod o sylw am fod eu canu yn fwy neis a saff:

… dangoswch gitâr drydan i feirniad eisteddfodol a dyna ddeg marc wedi ei golli cyn dechrau. A deg marc arall am wisgo'n gyfoes a chadw'r gwallt yn hir (os ydych yn fachgen). Pa syndod felly oedd gweld mai merched oedd dros dri chwarter o'r rhai'n cystadlu yn y rhagbrofion yn y Bala.

CAMBRIAN — CEP 443

Y PERLAU

LA, LA, LA
TAN OLAU'R HAUL
DYFFRYN FY MHLUDDWYDION
GITARAU MWYN

CEP 433

Llais Swynol

DOREEN DAVIES

CAMBRIAN — CSP 718

ROSALIND LLOYD

Hen Gyfrinach
O mae'r wawr ar ddod

GENOD NI

tag 244

Y bechgyn sy'n monopoleiddio'r siartiau ac ati ym mhob gwlad ond merched sy'n rhedeg canu pop eisteddfodau Cymru. Os am weld coes bert ewch i steddfod. Ond os am ganu cyfoes safonol – cadwch draw. Nid oes gobaith gweld *Beatlemania* neu *T Rextasy* yn gysylltiedig â grwpiau Cymraeg – mae *Women's Lib* wedi cydio'n barod.

Oedd, roedd ambell agwedd negyddol tuag at y merched! Gellid dweud hefyd bod y cystadlaethau Brenhines Sir yr Urdd a Miss Asbri blynyddol yn dangos agweddau rhywiaethol tuag at ferched, ond roedd hi'n gyfnod gwahanol wrth gwrs, cyfnod Miss World a chystadlaethau tebyg a doedd fawr o neb ar y pryd, gan gynnwys llawer o'r merched eu hunain, yn gweld dim o'i le ar yr hyn sydd i'w weld i ni heddiw fel agwedd hen ffasiwn ac annerbyniol. Braint a mymryn o hwyl diniwed oedd dod i'r brig yn y cystadlaethau hyn, er i'r hysbysebion yn y cylchgronau ddenu cystadleuwyr o blith y merched drwy eu hannog i golli pwysau a thrwy drafod yn gyhoeddus eu pryd a'u gwedd a'u 'vital statistics'!

Roedd y grwpiau a gododd yn y colegau yn tueddu i fod yn fwy dan ddylanwad canu roc, ac yn fwy heriol eu naws. Yng Ngholeg Prifysgol Aberystwyth, yn 1969, i ddilyn Y Blew, daeth Y Datguddiad – "grŵp gwefreiddiol y buom yn chwilio amdano oddi ar ddiflaniad sydyn Y Blew," yn ôl *Asbri*, Mai 1969, a grŵp o "bedwar bachgen dawnus, golygus," yn cynnwys bachgen deunaw oed o'r enw Hefin Elis a ddaeth i fod yn un o gonglfeini byd pop Cymraeg y 70au ac yn arloeswr yn ei faes. Canent ganeuon gwreiddiol yn tueddu at yr arddull rhythm a blŵs a'u bwriad oedd darparu cerddoriaeth ddawns Gymraeg, "fel na bo raid i'r genhedlaeth ifanc wrando ar Saesneg yn unig wrth gael boddhad mewn dawns". Yn fuan, roedd myfyrwraig ifanc o Dreorci wedi ymuno â'r grŵp. Helen Bennett oedd honno, cyn-aelod o'r Cyffro, a merch a ddaeth i fod yn ganolog yng nghyfraniad Coleg Aberystwyth i'r canu pop. Yn ôl y cerddor Geraint Davies, a fu'n aelod o sawl grŵp yn y cyfnod: "Roedd cael merch yn ffrynt i grŵp roc yn

Y Nhw

llinach roc Y Blew ar yr adeg yma yn rhyfeddol." Erbyn 1970 roedd criw o ffrindiau yn y coleg, gan gynnwys Hefin Elis a Helen Bennett, wedi ffurfio grŵp arall, o'r enw Y Nhw. Ffurfio i gystadlu yn yr Eisteddfod Ryng-golegol a wnaeth y criw a'r aelodau eraill oedd Peter Griffiths, Eleri Llwyd, Chris Jones, Meinir Ifans a Heulwen Price. Gofalai Hefin a Peter am yr ochr offerynnol a'r merched oedd yn canu. Daethant i'r brig yn y gystadleuaeth i grwpiau pop yn Eisteddfod Genedlaethol Rhydaman, 1970, gyda'r gân wleidyddol ei naws am y ferch fach o'r wlad, 'Siwsi'. Roedd Y Nhw yn sicr yn grŵp bît yn dilyn yn ôl troed Y Datguddiad, ac yn diwallu anghenion rhai o'r Cymry ifanc oedd yn ysu am gael rhagor o gerddoriaeth Gymraeg i ddawnsio iddi.

WELSH TELDISC RECORDS   PYC 5437

MYND MAE EIN RHYDDID NI

Y GEMAU

BARA'MENYN

'Caneuon Chwyldroadol' gan Hefin Elis, clawr llyfr, Y Lolfa, 1972

Gwelodd dechrau'r 70au y disgo Cymraeg yn dod yn fwy poblogaidd a rhai fel Mici Plwm, Dei Tomos a Hywel Gwynfryn yn dod yn droellwyr amlwg. "Rhaid oedd cael cerddoriaeth fyddai'n creu awyrgylch," meddai Mici, "a *beat* y disgo yn gwneud i'r goleuadau fflachio… fy mhrif ddiddordeb i, wedi i mi sefydlu Disgo Teithiol Mici Plwm, oedd cael y math o gerddoriaeth fyddai'n addas i ddawnsio disgo iddo – hyn er mwyn ennill bywoliaeth." Yn sicr, erbyn blynyddoedd cyntaf y 70au, roedd arddull y gerddoriaeth Gymraeg yn dod yn fwyfwy addas

i'r disgo ac artistiaid a grwpiau megis Y Nhw, Meic Stevens, Mwg Drwg a'r Tebot Piws yn dechrau atseinio drwy neuaddau dros Gymru.

Gyda'r ymgyrch arwyddion ffyrdd Cymraeg yn dwysáu a myfyrwyr Aberystwyth, fel sawl coleg arall, yn ganolog yn y protestio, roedd merched Y Nhw yn awyddus i ffurfio grŵp mwy gwleidyddol ei naws. Ar wahân i un aelod, yr un aelodau a arhosodd i ganu yn y grŵp newydd, scf Y Chwyldro. Roedd eu cân 'Rhaid yw eu Tynnu i Lawr' yn cyfeirio'n uniongyrchol at yr ymgyrch arwyddion ffyrdd, ac erbyn 1971 roedd y

Eleri Llwyd

CAMBRIAN   CSP 730

MAE BYWYD YN GALED (CARIAD)

Eleri Llwyd

gân ar unig record Y Chwyldro, ar label Sain. Cyfnod prysur oedd y cyfnod hwn, yn ôl Eleri Llwyd, aelod o'r Chwyldro: "Roedden ni'n mynd o hyd ac o hyd. Dwn i ddim sut gafon ni amser i astudio o gwbl!" A hwythau'n fyfyrwyr ifanc, roedd y ffasiwn mor bwysig â'r canu:

Dwi'n cofio ni'n cael trafferth un tro, rhai isio gwisgo *hot pants* a rhai ddim! Be o'n i'n licio wisgo oedd y *bellbottom* jîns, wedyn cael gwared o'r hem a chael ffrinj blêr o gwmpas eich fferau a bŵts efo sodlau anferth *platforms*… Dwi'n cofio ni ar *Disc a Dawn* ac yn gwisgo'r *false eyelashes*.

Roedd *Disc a Dawn* yn mynd allan yn fyw a tasa 'na un wedi llithro lawr eich boch chi, fysa 'na'm byd fedrach chi neud!

Daeth Eleri yn amlwg iawn fel cantores unigol ac enillodd gystadleuaeth y gân bop unigol yn Eisteddfod Rhydaman yn 1970, gyda'r gân 'Dihuno'r Bore', a gafodd ei recordio'n fuan wedyn a'i rhyddhau ar ei record i Sain, yn 1971. Yn wahanol i nifer o gantoresau eraill y cyfnod, doedd Eleri ddim yn gystadleuwraig eisteddfodol frwd, a fu hi ddim yn amlwg ar lwyfan tan iddi gyrraedd y coleg. Dechrau chwarae'r gitâr pan oedd yn astudio ar gyfer ei Lefel A oedd cychwyn pethau, ac er mwyn dysgu'r cerddi Cymraeg byddai'n cyfansoddi alawon i fynd efo nhw. Yn 1971 hi enillodd bleidlais *Asbri* am y gantores fwyaf poblogaidd, ac erbyn 1972, daeth record arall allan ganddi, y tro yma yn cynnwys y gân fythol wyrdd 'Breuddwyd', o waith Dewi Pws. Dyma'r gân a enillodd gystadleuaeth Cân i Gymru yn 1971, gydag Eleri yn canu, ac a gaiff ei hadnabod erbyn hyn fel 'Nwy yn y Nen'. Cafodd gynrychioli Cymru yn yr Ŵyl Ban Geltaidd yn Iwerddon a daliodd Eleri i swyno cynulleidfaoedd drwy gydol y 70au gyda'i dehongliadau pwerus, ac eto sensitif a theimladwy, o ganeuon cofiadwy, gwreiddiol. Cafodd ei halbym *Am Heddiw Mae 'Nghân*, a ryddhawyd yn 1977, ei ailryddhau gan Sain yn 2018.

Daeth Y Tebot Piws a'r Dyniadon Ynfyd Hirfelyn Tesog ag owns o hiwmor a dychan a hwyl i faes y canu pop ar ddechrau'r 70au, ac o blith y merched cafwyd grwpiau tebyg a ganolbwyntiai ar yr ochr ysgafn, adloniannol. Yn ogystal â bod yn gitarydd profiadol a chwaraewr organ geg, roedd y ddogn o hiwmor gwreiddiol a ychwanegai Catrin Edwards i'r grŵp Tu Hwnt wedi dod â nhw i amlygrwydd fel grŵp hwyliog. Ym Mhrifysgol Bangor roedd Bethan Miles yn awyddus iawn i ffurfio grŵp ar gyfer Eisteddfod Ryng-golegol 1970 i gystadlu yn erbyn grŵp ei brawd, Gruff Miles, sef Y Dyniadon Ynfyd Hirfelyn Tesog. Y canlyniad oedd ffurfio Braster Bro, grŵp o chwech o ferched o'r coleg. Y Dyniadon aeth â hi a Braster Bro yn ail, ond cipiodd y merched y cwpan yn Eisteddfod Bop Dinas Mawddwy am berfformiad gorau'r ŵyl. Bu erthygl

HAMDDEN

CYFROL VII   RHIF 61   AWST/MEDI 1970   1/6
8 c.n.

Braster Bro ar glawr blaen Hamdden, Awst/Medi 1970

am y merched yn *Hamdden*, rhifyn Awst/Medi 1970, lle cawsant eu disgrifio fel grŵp oedd wedi "siglo cantorion pop traddodiadol Cymru oddi ar eu pinaclau di-syfyd mewn Steddfodau Pop a thynnu'r to i lawr yn y Steddfod Ryng-golegol". Eu hofferynnau oedd dwy gitâr, mandolin, tamborîn a dannedd gosod! Ar sail y manylion comig am yr aelodau yn yr erthygl, digon hawdd gweld mai hwyl oedd prif nodwedd y grŵp arbennig hwn o ferched:

Lis Roberts, Cilcain, Yr Wyddgrug –
...enillodd un o'i chyndadau ar yr her unawd casŵ yn Eisteddfod Caerwys...

Magi Williams, Caernarfon –
...bu bron iddi gael ei dewis i ganu yn y gystadleuaeth Ewrodeledol dros yr Eil o Man, ar sail ei pherfformiad o 'Fuoch chi 'rioed yn morio'...

Elin Tomos, Dyffryn Conwy –
gitarydd a fu'n eistedd wrth draed Segovia (yn torri ei ewinedd...)

Edwina (Dwîns) Williams, Y Ffôr, Pwllheli –
fe fu ar gwrs carlam ar y tabyrddau babongo y llynedd gydag un o ffrindiau Mr Islwyn Ffowc Elis...

Y Bara Menyn

Marian Roberts, Llanystumdwy –
...pianydd a thamborinwraig...
Bethan Miles –
...o Aberystwyth a thragwyddoldeb...

Yn yr un erthygl, rhoddodd Bethan Miles ei barn
ar ganu pop Cymru ar y pryd:

> Teimlaf fod tuedd mewn grwpiau Cymraeg i fod
> yn *stodgy* ac i ganu'r un math o ganeuon (yn
> gerddorol). Undonog, diflas... Mae angen dod â
> mwy o hwyl i ganu pop Cymraeg... Dim ond Y Bara
> Menyn, Y Canu Coch, Y Tebot Piws, Y Dyniadon
> Ynfyd Hirfelyn Tesog a ni, wrth gwrs, hyd y gwela' i
> sy'n ceisio gwneud hyn.

Mae gan Edwina, un arall o aelodau Braster Bro,
lawer o atgofion am y grŵp:

> Mabwysiadwyd yr enw Braster Bro – addas iawn
> ar chwe merch eitha nobl fel ni! Yn nes ymlaen,
> ymunodd Bethan Smallwood efo ni i gyfeilio
> ar y piano a bu'n rhaid ei thwchu drwy glymu
> ambell i sgarff coleg o gwmpas ei chanol o dan

ei dillad! Roedd dawn gerddorol a synnwyr
digrifwch Bethan Miles yn greiddiol i Braster Bro
a'n llwyddiant. Aethpwyd ati i gyfansoddi caneuon
gwreiddiol, oedd, ynghyd â'n symudiadau, yn
perl cryn embaras i'n rhieni a ddaeth i ambell
eisteddfod i'n cefnogi! Fodd bynnag roedd cân fel
'Nyni yw Bra Bra Braster' yn plesio cynulleidfaoedd
a beirniaid steddfodau pop!

Roedd Braster Bro yn sicr yn torri tir newydd,
fel y sonia Edwina eto:

> Cyn Braster Bro, digon parchus a thraddodiadol
> oedd grwpiau, yn enwedig rhai benywaidd. Rŵan,
> dyma chwech neu saith o genod eitha gwyllt
> a gwallgo yr olwg yn ymddangos o'u blaenau.
> Gwisgem yn wahanol i bawb arall, yn wir, edrychai
> Bethan Miles fel rhywun o'r Gorllewin Gwyllt yn ei
> het fawr! Wnaethon ni erioed gymryd ein hunain o
> ddifrif. Dipyn o hwyl oedd y cyfan i ni. Wrth feddwl
> yn ôl i'r cyfnod daw llu o atgofion difyr a chaf fy
> synnu fod rhai o'n cyfoedion yn dal i gofio am
> Braster Bro hanner can mlynedd yn ddiweddarach!

Yn yr un cyfnod, roedd gan y Coleg Normal ym Mangor hefyd ei grŵp hwyliog, benywaidd. Daeth Annwen Williams, Jini Owen a Marged Esli, tair ffrind a astudiai ddrama fel prif bwnc, at ei gilydd i gystadlu yn eisteddfod flynyddol y Normal, ar y gân ysgafn. Meddai Annwen: "Roedd yr enw a roesom ar y grŵp, sef Y Canu Coch, yn gliw nad oeddem yn cymryd ein hunain o ddifri o gwbl!" Roedd y tair yn canu ac yn chwarae offerynnau fel y gitâr, piano, casŵ a thamborîn. "Yn dilyn y perfformiad cyntaf ar lwyfan eisteddfod y Normal," cofia Annwen, "cawsom wahoddiad i gynnal noson yng nghymdeithas Capel Penmount, Pwllheli. Roedd is-bennaeth y coleg yn ysgrifennydd y Gymdeithas Lenyddol yno!" Ymunodd dwy arall, Carys a Geunor o'r Bala, a bu'r pump ohonynt yn diddanu mewn

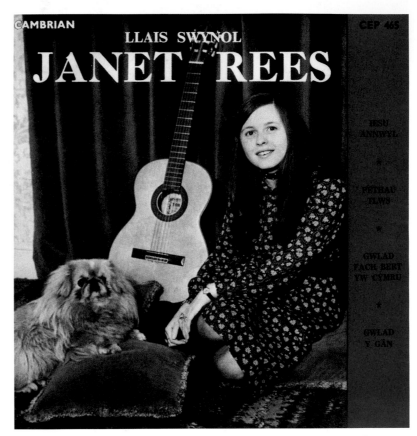

neuaddau pentref a festrïoedd capel gyda'u caneuon a'u jôcs: "Jini oedd yn arwain a'i llyfr bach du yn llawn o jôcs at yr ymylon." Buont ar lwyfannau'r Majestic yng Nghaernarfon a Phafiliwn Corwen ac wedi i Jini Owen adael y grŵp ac i Gerallt Llywelyn gymryd ei lle, recordiwyd llond llaw o ganeuon i gwmni Dryw. Fel llawer i grŵp coleg, daeth Y Canu Coch i ben yn fuan wedi eu cyfnod yn y Coleg Normal.

Gwelodd blynyddoedd cyntaf y 70au rai merched ifanc iawn yn gwneud eu marc ac yn codi i enwogrwydd. Un amlwg iawn oedd Janet Rees o Ffwrnes, Llanelli. Disgybl ysgol dair ar ddeg oed oedd hi pan ymddangosodd ar *Opportunity Knocks* a rhyddhau ei record gyntaf ar label Dryw. Canai emynau a chaneuon ysgafn i'w chyfeiliant ei hun ar y gitâr. Arwyddodd gytundeb gyda label MAM, a fu hefyd yn rhyddhau recordiau Tom Jones ac Engelbert Humperdinck, ac mae sôn yn *Asbri*, Medi/Hydref 1971, bod ei dyddiadur yn llawn gyda chyngherddau drwy Gymru gyfan a hefyd yn yr Almaen a Ffrainc. Daeth nifer o grwpiau merched ifanc yn eu harddegau cynnar i'r amlwg, rhai fel Merched Gwenith o Henllan,

Mary Evans a Barbara Roberts o Aberystwyth yn canu, a'r Tri o Ni, o ardal Mydroilyn a Llannarth. Rhyddhaodd Dail yr Olewydden record ar label Dryw yn 1968 ac un arall Saesneg, dan yr enw The Olive Branch, tua'r un pryd, tra recordiodd y Tri o Ni gyda label Cambrian. Bu triawd Seiniau Gwili o Bumsaint hefyd yn boblogaidd iawn, yn ogystal â thriawd Y Dilfor o'r canolbarth. Brynberian, Sir Benfro oedd cartref Triawd y Grug, a chynyddodd eu poblogrwydd wedi i Alwen, yr unig ferch yn y grŵp, ennill y teitl Miss Asbri yn 1972. Yn aml, byddai grwpiau'n ffurfio lle byddai'r offerynwyr yn ddynion ond y prif leisydd a blaenydd y grŵp yn ferch, grwpiau fel Y Pererinion o Fangor, Y Telynau o Langennech, Y Plu o Bwllheli, Y Mellt o Lanrwst a'r Talisman o Fangor. Merch o'r enw Topsy Christie oedd cantores Y Talisman tra bu merch o Gaernarfon,

Sir Aberteifi, Y Gwenoliaid o Gapel Iwan, sef y ddwy chwaer Janet a Glenda James a'u ffrind Rosemary, a fu'n canu mewn nosweithiau llawen ar hyd a lled siroedd y de, a Clychau'r Nant o Gwm Gwendraeth, a gynhwysai, eto, ddwy chwaer, yr efeilliaid Ann a Wendy Thomas, a Rhian Rowe, cantores a fyddai'n mentro i ganu a recordio'n unigol maes o law.

Bu nifer o grwpiau, yn driawdau, pedwarawdau a chyfuniadau eraill, lle roedd merched yn y mwyafrif a merched yn canu ac yn fwyaf amlwg. Rhai o'r grwpiau enwocaf oedd Dail yr Olewydden, gyda

Caryl Owens

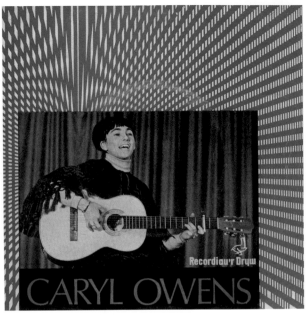

sef Marian Roberts, yn canu mewn grŵp o'r enw Y Llwch gyda chriw o hogiau o Ddyffryn Ogwen, gan gynnwys John Gwyn, a fyddai'n gwneud enw iddo'i hun yn y maes canu poblogaidd yng Nghymru yn ystod y 70au drwy grwpiau fel Brân. Rhwng 1970 ac 1973 roedd Beth Thomas yn aelod blaenllaw o'r grŵp Y Gwenwyn, gyda Wyn Thomas, Geraint Davies a Rowland Emmanuel. Chwaraeai hi'r mandolin yn y grŵp, a byddai'n canu hefyd ac yn ôl Geraint Davies, "hi oedd yr un roddodd drefn gerddorol arnom ni."

O blith y grwpiau cymysg lle roedd y merched yn flaenllaw, yr un mwyaf enwog o bosib oedd triawd Y Triban. Bu'r triawd yn canu rhwng 1968 a dechrau'r 80au gan ryddhau nifer helaeth o senglau Cymraeg a Saesneg a phedair record hir ar labeli Cambrian, Dryw, Decca, EMI, Pye Records a Black Mountain. Roedd Caryl Owens ac Eiri Jones eisoes yn enwau ac yn wynebau cyfarwydd ar y sgrin deledu erbyn 1968, a'r ddwy wedi bod yn aelodau pan oedden nhw'n blant o grŵp sgiffl Ynys-y-bwl. Erbyn dyddiau coleg roedd Caryl yn canu gyda Triawd

ymddangos ar lu o raglenni teledu Cymraeg a Saesneg a pherfformio mewn nosweithiau a chyngherddau drwy Gymru a Lloegr. Wedi i Eiri adael y grŵp am resymau teuluol, ymunodd Gillian Thomas, a wnaeth enw iddi ei hun fel cantores unigol ar ddiwedd y 60au gan recordio a rhyddhau caneuon gyda label Envoy yn Llundain. Bu hefyd yn canu gyda'r Susie Cope Band. Parhaodd

y Normal ym Mangor ac Eiri yn tynnu at y canu *jazz* yn Aberystwyth. Wrth iddynt recordio rhaglen gyda'i gilydd yn stiwdios y BBC, holodd Bob Richards, oedd hefyd yn wyneb cyfarwydd ar raglenni teledu cerddorol y BBC, a fyddai'r ddwy yn ystyried ymuno ag o i ffurfio triawd. Dyma ddechrau partneriaeth lwyddiannus iawn a'r gân gyntaf iddynt ei recordio oedd 'Dilyn y Sêr', fersiwn Gymraeg gan Eiri o'r gân werin Americanaidd 'Follow the Drinking Gourd', a hynny ar gyfer un o'r rhaglenni yn y gyfres *Hob y Deri Dando*. Daeth y triawd yn hynod boblogaidd, gan

Eiri i ganu gan ryddhau nifer o recordiau Saesneg i labeli fel York Records ac UK Records, a bu hefyd yn canu gyda nifer o fandiau Saesneg megis Sweet Substitute, Southern Swing a The Toffs. Drwy gydol y 70au aeth Y Triban o nerth i nerth gan ymddangos ar *Opportunity Knocks* a rhyddhau record gyda label EMI. Mae sain harmoni unigryw Y Triban bellach yn rhan o chwedloniaeth canu pop Cymraeg y 60au a'r 70au, a chaneuon fel 'Llwch y Ddinas' a 'Paid â Dodi Dadi ar y Dôl' yn dal i swyno clustiau Cymry heddiw. Rhyddhawyd casgliad o'u caneuon gan Sain yn 2011.

Y Diliau yn bedair, gyda Dafydd Iwan ac Edward, Pontrhydfendigaid 1968

Roedd triawd arall yn mynd o nerth i nerth ym maes y canu pop Cymraeg ar ddiwedd y 60au, a thriawd o ferched y tro hwn. O'u dyddiau cynnar yn 1965, datblygodd Y Diliau i fod yn un o grwpiau merched mwyaf arwyddocaol a dylanwadol Cymru'r cyfnod. Erbyn 1968, ymunodd Gaynor John, a fu'n un o aelodau Y Cwennod, ac am gyfnod roedd Y Diliau yn bedair. Ond yn fuan, gadawodd Lynwen y grŵp gan adael tair – Mair, Meleri a Gaynor. Daeth record gyntaf Y Diliau ar eu newydd wedd yn 1969, ar label Cambrian, ac mae'r clawr trawiadol a'r llun o'r tair yn eistedd ar gar swanc Gilbern, a gâi ei gynhyrchu yn Llantrisant, yn dangos eu penderfyniad i dynnu sylw ac i wneud eu marc. "Daeth y ffilm *Dr Zhivago* ar yr adeg yma a ffasiwn y *boots* ac roedd rhaid cael y *boots* wedyn," yn ôl Mair. Meddai Gaynor:

> Roeddem ni'n athrawon llawn amser adeg y record yna a Meleri yn gweithio i gwmni teledu ac yn teithio yn yr wythnos ac ar y penwythnos i ganu. Dwi'n cofio ni'n mynd lan i Rosllannerchrugog ar nos Fercher, yn y mini bach gwyrdd a dwy gitâr yn y bŵt, gadael yr ysgol yng Nghaerdydd am 4.30, teithio i fyny i Rosllannerchrugog, canu tair cân a neidio 'nôl mewn i'r car i ddod 'nôl adre!

Mae gan Mair hefyd atgofion am deithio i'r gogledd:

> Dwi'n cofio rhyw dro, eto yn ystod yr wythnos, i ni fynd ar goll ar y ffordd achos roedd gwyriad yn yr hewl, dilyn y gwyriad a fel y'ch chi'n gwybod, does dim arwyddion wedi hynny, ac oedden ni ar goll yn mynd i ryw le yn y gogledd, a ffeindio'n hunain ar ben mynydd a phwy oedd lan fanna hefyd ond Hogia'r Wyddfa – roedden nhw ar goll hefyd!

Y Diliau

Roedd gan Y Diliau enwau mawr yn gefnogwyr. Ar glawr eu pedwaredd record, i label Dryw yn 1970, dywedodd Ryan Davies iddo gael ei swyno mewn cyngerdd yn Llundain gan grŵp y Womenfolk o America, grŵp a fu'n ddylanwad mawr ar ferched Y Diliau, ac na chlywodd "leisiau yn asio mor berffaith i'w gilydd" a chredai na chlywai hynny fyth chwaith, ond yna clywodd Y Diliau. "Dwi ddim am eu cymharu nhw," meddai, "ond mae'r Diliau yn cael yr un effaith arna i ag y mae'r Womenfolk yn gael – GRÊT!" Seren byd rygbi'r 70au, Barry John, fu'n eu canmol ar glawr

eu record yn 1972, a honnodd mai "un o bleserau mwyaf hudolus bywyd yw eistedd, ymlacio ac ymollwng i swyn a chyfaredd eu cynghanedd, ar ôl gêm gynhyrfus o rygbi". Hyd heddiw mae'r canmol yn parhau, ac un o'u ffans pennaf yw Dyl Mei:

Hawdd yn hanes canu pop Cymraeg yw anghofio am Y Diliau. Ynghyd â Tony ac Aloma, Dafydd Iwan a Helen Wyn, Y Diliau oedd un o'r llond dwrn o artistiaid a gychwynnodd ganu pop Cymraeg ond rhywsut dydyn nhw erioed wedi cael y clod. Dwi'n dal i glywed nifer o artistiaid Cymraeg y 60au a'r

Y Diliau, Abertawe 1971

70au ar y radio a'r teledu yn ddyddiol ond bron byth Y Diliau… ac am ryw reswm, dwi ddim yn siŵr pam, does 'na ddim casgliad o draciau Y Diliau wedi ei ryddhau. Mae fel tasan nhw wedi cael eu dileu o'r llyfrau hanes…

Mae'n wir nad oedd eu recordiau yn gwerthu ar yr un raddfa â recordiau rhai o artistiaid eraill y cyfnod. Caneuon Americanaidd wedi eu cyfieithu, caneuon gwerin Cymreig a rhai o dramor, caneuon gwreiddiol a chaneuon crefyddol oedd eu *repertoire*, a'r cyfan yn

cael ei drefnu a'i berfformio i safon arbennig. Yn wahanol i nifer o grwpiau eraill y cyfnod, cafodd Y Diliau enwogrwydd y tu allan i Gymru, mewn gwledydd yn Ewrop yn fwyaf arbennig. Mewn cyfweliad yn *Asbri* yn 1971, soniwyd am eu canu a'u prysurdeb yn perfformio mewn amrywiol wledydd:

Mae'r Cymry yn enwog am eu chwaeth sentimentalaidd ac ymgais barhaol yw hi i'r Diliau beidio â phlygu i'r demtasiwn o ganu caneuon sentimental a fydd ag apêl boblogaidd i'r Cymry… Buont yn canu yn yr Ŵyl Geltaidd yn Llydaw y llynedd ac yn awr, hoffent fynd yn ôl i'r cyfandir er mwyn cyflwyno'r deffroad newydd yn y canu

Y Diliau

ysgafn Cymreig i wledydd Ewrop
a chael eu gwerthfawrogi fel y
cawsant yn Llydaw.

Yn wir, bu'r Diliau yn canu gydag
un o arloeswyr canu Celtaidd y 70au,
sef Alan Stivell, yn Brest. Cawsant
gyfle hefyd i ganu yn yr Iseldiroedd
ac Awstria, ac i ymddangos ar fyrdd
o raglenni teledu Cymraeg. Daeth
Eisteddfod Genedlaethol Bangor,
1971, â chyfle iddynt fagu cynulleidfa newydd, wrth iddynt berfformio
mewn dwy sioe yn ystod yr wythnos – *Sachliain a Lludw*, gyda Meic
Stevens a Heather Jones ac eraill, a *Coel Ieuenctid*, noson o waith
T. Gwynn Jones a luniwyd gan Gruffudd Parri. Bu'r tair yn lleisiau
cefndir i ganeuon Meic Stevens, caneuon fel 'Rue St Michel', a hefyd i
Iris Williams pan enillodd gystadleuaeth Cân i Gymru yn 1974. Bu'r
Diliau yn driawd blaengar o'r cychwyn, triawd a ryddhaodd wyth
record fer ar labeli Qualiton, Dryw, Cambrian a Sain a record hir, *Tân
neu Haf*, yn 1978 ar label Gwerin. Dyma dair a osododd safon ar gyfer
canu harmoni yng Nghymru, tair merch a'u lleisiau yn uno i greu'r
hyn y cyfeirir ato hyd heddiw fel 'perffeithrwydd Y Diliau'.

Y Pelydrau

Meurig Huws yn rheolwr arnynt,
a chyhoeddwyd llyfr o'u caneuon
poblogaidd gan y Lolfa. Rhyddhawyd
eu record olaf yn 1973, detholiad
o delynegion ac englynion y bardd
o Drawsfynydd, Hedd Wyn, ar
gerddoriaeth a gyfansoddwyd gan
Glenys Davies, cyfansoddwraig y
rhan fwyaf o ganeuon y grŵp. Wrth
edrych yn ôl ar eu gyrfa gerddorol,
talodd *Asbri* deyrnged i'r criw ifanc
o Drawsfynydd a wnaeth gyfraniad
gloyw i faes canu pop Cymru:

> Y Pelydrau, ynghyd â'r Tebot Piws,
> Hogia'r Wyddfa, Hogia Llandegai a'r
> Diliau – does dim amheuaeth mai'r
> grwpiau yma... a roes yr awydd
> a'r plwc i Gymry ifanc i fentro i'r
> byd canu ysgafn, ac i fod yn fodlon
> cyflwyno'r Gymraeg mewn idiom
> a churiad newydd, mewn adeg
> pan oedd y gitâr mor ddiarth â
> morthwyl polo yn nwylo'r Cymro.

Bu blynyddoedd olaf y 60au a dechrau'r 70au yn
flynyddoedd prysur iawn i'r Pelydrau ac aeth eu pum
record gyntaf, a recordiwyd rhwng 1967 ac 1970, i frig
siart 10 Uchaf *Y Cymro*. Buont yn canu ar bob rhaglen
deledu a radio Gymraeg bosib ac yn crwydro Cymru
a Lloegr yn canu mewn cyngherddau a nosweithiau,
gan gyrraedd hefyd stiwdios teledu Llundain i
gystadlu yn y gyfres boblogaidd *Opportunity Knocks*.
Y Pelydrau, â'u cân 'Hwrli Bwrli', oedd y grŵp cyntaf
i ganu yn Gymraeg ar y rhaglen. Yn 1969, daeth
John Arthur i gymryd lle Gareth fel gitarydd a daeth

Heb os, roedd diffuantrwydd a naturioldeb canu'r
Pelydrau wedi cydio yng nghalonnau'r genedl, ac fel y
nodwyd yn *Asbri*, dyma'r math o ganu oedd yn apelio
yng Nghymru ar y pryd:

> ... gwae ni rhag y rhai sy'n galw eu hunain yn
> *gritics* pop yng Nghymru sy'n mynnu cymharu ein
> canu ysgafn ni â'r sgrechnadu – y bechgyn mewn
> powdwr a phaent lliwgar a'r llygaid llonydd cyffuriol.
> Gadewch i ni gyflwyno ein canu yn naturiol, heb
> orfod dynwared...

Gwnaeth rhai o artistiaid cerddorol Cymraeg y cyfnod eu marc yn rhyngwladol, ac yn ddiddorol iawn, merched oedd nifer o'r rheiny. Un o'r rhai amlycaf oedd y ferch o Bontardawe, Mary Hopkin. Merch ysgol oedd hi pan ddaeth i sylw'r genedl ac yn fuan iawn fe ddaeth i sylw'r byd. Canai gyda grŵp lleol ym Mhontardawe, o'r enw Selby Set and Mary, ond pan ddaeth 1968, newidiodd ei bywyd yn llwyr. Wedi cael cyfle gan Ruth Price i ganu ar *Hob y Deri Dando*, aeth ymlaen, yn 1968, i ryddhau ei record gyntaf, a hynny ar label Cambrian, a oedd wrth gwrs yn gwmni lleol iddi ym Mhontardawe. Bu'r record hon, a oedd yn cynnwys cyfieithiadau Cymraeg fel 'Mae Bob Awr' ac 'Yn y Bore', ar frig siart *Y Cymro* am wythnosau lawer. Yn 1968 hefyd ymddangosodd ar y rhaglen deledu *Opportunity Knocks*, a arweiniodd at gynnig euraidd gan neb llai na Paul McCartney i recordio ar label y Beatles, Apple Records. Daeth ei recordiad enwog o'r gân 'Those Were the Days', a gynhyrchwyd gan Paul McCartney ei hun, allan yn Awst 1968 a saethodd i rif un siart senglau Prydain. Yn y man, aeth i rif un siartiau nifer o wledydd drwy'r byd, gan gynnwys Canada, Japan, Seland Newydd a nifer helaeth o wledydd Ewrop, gan werthu dros wyth miliwn o gopïau. Roedd Mary bellach yn enw mawr ym myd y canu pop Saesneg. Aeth ymlaen hefyd i ganu ac

i ryddhau recordiau mewn ieithoedd eraill. Er ei chytundeb newydd gydag Apple, daliai i recordio yn Gymraeg ar label Cambrian, ac ar gefn clawr ei record o ddeuawdau gydag Edward, yn 1968, adroddir am ei henwogrwydd newydd: "Lai na chwe mis yn ôl, doedd fawr o neb yn gwybod am Mary Hopkin, y groten swil bryd gole o Bontardawe, dim ond ambell i glwb rygbi a festri capel yn y cylch, lle byddai'n mynd â'i gitâr i ddiddanu…" Yn sicr, fe greodd ei llwyddiant gynnwrf a diddordeb yma yng Nghymru, ond roedd Mary ei hun yn benderfynol o gadw ei thraed ar y ddaear, fel

y dywedodd mewn cyfweliad yn *Hamdden* yn Rhagfyr 1969: "Rydw i'n benderfynol o beidio â mynd yn rhy glwm i'r byd *show business* yma. Dydw i ddim yn ofnadwy o uchelgeisiol... Mae'n ddrwg i fiwsig pan fo pobl yn troi stwff allan jyst er mwyn arian..."

Cyfieithiadau o ganeuon gwerin a baledi enwog y dydd gan rai fel Pete Seeger a'r Bee Gees oedd y mwyafrif o ganeuon Cymraeg Mary Hopkin ond llwyddodd i roi ei stamp didwyll, Cymreig ei hun arnynt ac roedd purdeb y canu yn hynod apelgar. Does dim dwywaith nad oedd rhywbeth cwbl arbennig yn ei llais a'i harddull. Erbyn diwedd 1969 roedd Mary wedi recordio dwy sengl Saesneg, a'r ddwy wedi cyrraedd deg uchaf Prydain, un record hir Saesneg, sef *Postcard*, un record fer Gymraeg ac un record ar y cyd ag Edward. Roedd hefyd wedi teithio Prydain ac America yn canu. Yn 1970, daeth yn ail wrth gynrychioli Prydain yng nghystadleuaeth yr Eurovision. Gadawodd Apple Records yn 1972. Nid oedd yn gwbl hapus ac roedd hi'n awyddus i ddychwelyd at ganu mwy gwerinol. Ciliodd ryw gymaint o brif lif y byd recordio a'r siartiau ond parhaodd i recordio, ar raddfa lai, ar

hyd y blynyddoedd a daeth ei halbym diwethaf allan yn 2013, sef *Painting by Numbers*. Rhyddhaodd fersiwn acwstig o 'Those Were the Days' yn 2018, hanner can mlynedd wedi'r recordiad eiconig hwnnw a sicrhaodd iddi le canolog yn hanes cerddoriaeth bop y 60au a'r 70au. Roedd Menna Elfyn yn yr ysgol gyda Mary Hopkin, ac efallai mai ei geiriau hi, yn *Asbri*, Awst 1969, sy'n crisialu'r hyn a wnâi Mary mor arbennig o blith y cantorion pop:

> Credaf fod angen mwy na llais i ennill enwogrwydd. Rhaid dwyn y gynulleidfa hefyd. Fe allod wneud hyn drwy ei phersonoliaeth fwyn a gostyngedig. Y mae mor syml a dirodres â'i gwisg ac mae hynny'n wir 'gompliment' i 'geiliogod ffesant' y canu pop heddiw... Canai pan oedd yn fechan. Canai yn y cwrdd chwarter ac yn eisteddfod y capel gan ein curo bron bob tro... Yn bersonol, gwell gennyf Mary'n canu caneuon gwerin, gan y trosglwyddir neges y canu hwn gan ei llais. Ond pan drodd i fyd y canu pop cyfoethogwyd hwn gan lais a thinc gwerinol, hiraethus a nodwedda y canu Cymreig drwy'r canrifoedd...

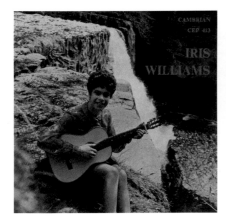

Cantores arall a lwyddodd yn
rhyngwladol oedd Iris Williams o
Donyrefail. Aeth i astudio'r llais
yn y Coleg Cerdd a Drama yng
Nghaerdydd ac yno fe'i perswadiwyd
i fentro ar ganu gwerin. Cafodd
glyweliad yn y BBC a arweiniodd
at nifer o berfformiadau ar *Disc a
Dawn*. Gwnaeth ymdrech i ddysgu
Cymraeg ac i ganu yn y Gymraeg ac
un o'i recordiadau enwocaf, mae'n
debyg, yw ei fersiwn gwefreiddiol o
'Pererin Wyf', a ganodd ar y rhaglen
ac a gyrhaeddodd frig siart 10 Uchaf
Y Cymro. Yn gefndir iddi yr oedd
lleisiau hudolus Y Canolwyr, pedair
merch o Ferndale, y Rhondda, a

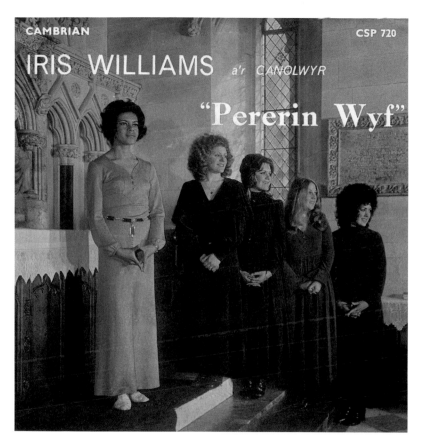

CAMBRIAN   CSP 720

IRIS WILLIAMS a'r CANOLWYR

"Pererin Wyf"

I Gael Cymru'n Gymru Rydd
IRIS WILLIAMS

gafodd gryn lwyddiant ar *Opportunity Knocks* ac a fu'n recordio yn Gymraeg ar label Cambrian ac yn Saesneg ar label Pye Records. Gwnaeth Iris a'i llais dwfn, melfedaidd argraff yn fuan iawn yng Nghymru. Rhyddhawyd ei record gyntaf, a oedd yn cynnwys pedair cân werin Gymreig, ar label Cambrian, yn 1968, ond roedd hi fwyaf cyfforddus yn canu caneuon Negroaidd yn arddull y Felan, a rhyddhawyd record Saesneg o'r caneuon hyn ganddi yn 1969. Erbyn 1970, roedd gan Iris ei chyfres deledu ei hun ar deledu Cymraeg y BBC, ac erbyn 1971, ymddangosai ar

raglenni teledu Saesneg ac fe glywid ei llais ar y radio a'r teledu bron yn wythnosol. Drwy gydol y 70au, daeth Iris fwyfwy i'r amlwg fel cantores. Enillodd gystadleuaeth Cân i Gymru yn 1974, gyda'r gân 'I Gael Cymru'n Gymru Rydd' a ryddhawyd ar record gan Sain yn ddiweddarach y flwyddyn honno, a thros y blynyddoedd recordiodd i nifer o'r labeli recordio mawr, rhyngwladol, fel Columbia, EMI a Polydor. Wedi symud i Efrog Newydd ddechrau'r 90au, bu'n amlwg iawn yno ar y sin cerddoriaeth *jazz*. Caiff ei chydnabod fel un o gantoresau amlycaf ei maes.

Doedd troi'n broffesiynol a llwyddo ar lwyfan rhyngwladol ddim yn fêl i gyd, fel y profodd Tammy Jones. Aeth ei gyrfa gerddorol hi o nerth i nerth o ddiwedd y 60au ymlaen a chafodd gyfleoedd gan gynhyrchwyr fel Ernest Maxin i ymddangos ar nifer o raglenni poblogaidd Saesneg y BBC, gydag enwogion fel Dick Emery, Morecambe and Wise a Benny Hill. Ond roedd llawer o'i gwaith yn y clybiau ar lawr gwlad yn Lloegr ac yn canu mewn llefydd fel Great Yarmouth am sawl blwyddyn dros dymor yr haf. Roedd hwn yn fyd hollol wahanol i'r byd canu Cymreig yn ôl Tammy:

> Pan aethon ni i'r byd Saesneg 'ma a'r byd mawr, roedd hi'n *tough*… a gorfod rhoi fyny efo twrw, yn enwedig os oeddan nhw wedi cael tipyn i yfed… toeddan nhw ddim yn yfed yn y neuaddau yn fama, ond mewn clybiau oeddan ni ac yn y Workingmen's Clubs a sefyll a phawb wedi meddwi a roeddan nhw'n heclo '*get it off*' a phetha fel 'na. Ges i dipyn o drafferth ond doeddach chi ddim yn cymryd dim sylw, ac yn deud, '*you'll be lucky*'!

Ond mae ganddi lawer o atgofion braf, fel y foment y clywodd gan ei rheolwr yn 1969 fod cyfle wedi dod iddi ganu ar *Sunday Night at the London Palladium*:

> Leslie Grade oedd fy rheolwr i'r adeg hynny a dyma fo'n ffonio un diwrnod ac yn deud, '*Are you sitting down?*' '*Yes,*' medda fi. '*Well I've got something to tell you, you're on the London Palladium on Sunday.*' '*Good heavens,*' medda fi – roedd Judy Garland wedi mynd yn sâl a hogan fach o Gymru yn cymryd drosodd. Wedyn ges i neud *This is Tom Jones*.

Tammy Jones

Ond er yr holl gyfleoedd teledu, roedd Tammy'n teimlo fod rhywbeth ar goll ac roedd hi'n dyheu am gael torri drwodd go iawn. Penderfynodd, yn 1975, fynd ar *Opportunity Knocks*, ymddangosiad a'i gwelodd hi'n ennill chwe wythnos yn olynol ac yn cipio'r *satellite award*. Yn dilyn hyn, rhyddhawyd ei recordiad o'r gân 'Let Me Try Again', a aeth i rif 5 yn siartiau Prydain, a'r flwyddyn honno, hi oedd yr artist benywaidd o wledydd Prydain a werthodd fwyaf o recordiau. Meddai Tammy:

> Mi ddaeth Frank Sinatra allan o ymddeoliad a rhyddhau hon wedi i mi ei chanu hi ar *Opportunity Knocks* a meddwl y bysa fo'n gwerthu'n dda, ond fi nath! Ddoth o i'r Albert Hall yn Llundain a deud '*I can't compete with the little Welsh girl*'.

Bu Tammy'n canu ar y llongau ac mewn gwledydd ar hyd a lled y byd gan ddod yn gantores boblogaidd tu hwnt. Wedi cyfnod yn Seland Newydd dychwelodd i Gymru, ac mae Tammy'n dal i ganu ac i ddiddanu cynulleidfaoedd.

Y TRI O NI

Tyrd F'anwylyd i Rodianna . Toriad Dydd . Wyt Ti'n Cofio'r Dydd . Cwmtydu

WELSH TELDISC RECORDS PYC 5438

TRIAWD Y GRUG

DAIL YR OLEWYDDEN

fel y 60au. Bu'n aelod o'r grwpiau Aros Mae a Cawl Sefin, a enillodd gystadleuaeth Cân i Gymru yn 1977 gyda'r gân 'Dafydd ap Gwilym'.

Draw ym Mangor, wedi llwyddiant ei recordiau gyda'i thad Aled a gyda Reg, roedd Nia Hughes yn parhau i wneud argraff gan ymddangos ar *Disc a Dawn* a llu o raglenni teledu eraill, gan gynnwys rhaglenni Saesneg. Rhyddhawyd ail record Nia ac Aled ar label Dryw yn 1968 ac erbyn 1971 roedd y tri, Aled, Reg a Nia, yn canu gyda'i gilydd ar record. Ond flwyddyn ynghynt, cafodd Nia wahoddiad gan Larry Page, cynhyrchydd recordiau enwog fel 'Wild Thing' a pherchennog y label Penny Farthing Records, i fynd am glyweliad i Lundain. Y canlyniad fu iddi gael gwahoddiad i recordio dwy gân Saesneg wreiddiol ar y label, 'Turn on the Sun' a 'The Wind'. Rhyddhawyd y record hefyd yn Awstralia a Seland Newydd. Roedd gan Larry Page gynlluniau uchelgeisiol ar gyfer Nia, fel y nodir yn y datganiad i'r wasg a gyhoeddwyd gan Penny Farthing adeg rhyddhau'r record:

In 17 year old Nia Hughes he [Larry Page] has found someone who has the vocal ability to become a world star, yet someone who retains the

Parhau i serennu ym mlynyddoedd y 70au wnaeth Mari Griffith. Ymddangosodd fwyfwy ar raglenni teledu o bob math, gan gynnwys *Ryan a Ronnie* a *Disc a Dawn*, a rhaglenni ar deledu Saesneg, fel *Poems and Pints* ar BBC 2 gyda Max Boyce a Philip Madoc. Cyhoeddodd hefyd record hir o ganeuon gwerin Cymraeg ar label Rediffusion.

Ac wedi rhyddhau record o ganu penillion a record yn cynnwys y gân 'Watshia di dy Hun' ar label Cambrian yn 1968 ac 1969, parhau i fod yn amlwg fel cantores wnaeth Meinir Lloyd yn negawd y 70au

Nia Hughes

freshness and naivety of youth, whose feeling for a lyric far belies her years.

Roedd pethau yn argoeli'n dda i Nia a'r bwriad ar yr adeg hon oedd rhyddhau record hir ddwyieithog o ganeuon gwreiddiol wedi eu cyfansoddi gan Nia a'i thad, Aled. Am ryw reswm, ni chyhoeddwyd y record hir ac ni chyhoeddwyd rhagor o recordiau unigol ganddi ar label Penny Farthing nac ar unhryw label arall. Ond roedd Nia, Aled a Reg yn parhau i ganu ac yn 1978, roedd Nia ac Aled yn recordio eto, y tro yma i label Tryfan, ar gyfer record i hysbysebu Sir Fôn i dwristiaid. Bu'r ferch o Fangor, yn sicr, yn rhan ganolog o ddatblygiadau canu pop Cymru.

Cambrian CEP 473 LP

Tony ac Aloma

Fel rhan o ddeuawd hynod boblogaidd a gipiodd galonnau a dychymyg y genedl y gwnaeth Aloma Jones o Lannerch-y-medd ei henw. Ers ei dyddiau yn ddisgybl yn Ysgol Syr Thomas Jones, Amlwch, bu'n cystadlu'n frwd mewn eisteddfodau mawr a bach, ar ganu gwerin a cherdd dant, dan arweiniad ei hathrawes gerdd yn yr ysgol, Haf Morris. Bu'n canu gyda Tony ers 1964 ac erbyn 1968 roedd y ddau yn wynebau cyfarwydd iawn ar deledu a radio. Rhyddhawyd y record gyntaf o'u canu harmoni afieithus yn 1968, ar label Cambrian, a chyn diwedd y flwyddyn honno roedd gan y ddau eu cyfres deledu eu hunain gyda chwmni newydd sbon HTV. Daeth galwadau iddynt berfformio ym mhob cornel o'r wlad ac am gyfnod roeddynt yn fwy poblogaidd na'r un artist Cymraeg arall, bron. Eu clwb dilynwyr, a grëwyd yn 1969, oedd y cyntaf o'i fath yng Nghymru. Mae seiniau chwareus caneuon fel 'Caffi Gaerwen' a 'Dim Ond Ti a Mi' bellach yn rhan o chwedloniaeth canu pop Cymru. Am rai blynyddoedd ddechrau'r 70au bu Aloma hefyd yn rhan o'r Hennessys, gyda Frank Hennessy a Dave Burns.

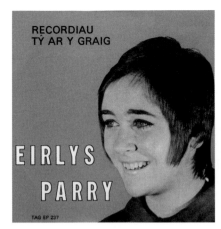

Roedd lleisiau newydd yn codi o hyd yn y sin bop Gymraeg. Erbyn 1970, rhai o'r enwau poblogaidd oedd Meic Stevens, yr Hennessys, Emyr ac Elwyn a'r Tebot Piws. Ers 1968 roedd Meic Stevens wedi gwefreiddio nifer gyda'i ganu gwerin blaengar i'w gyfeiliant medrus ei hun ar y gitâr, ac yng ngeiriau Menna Elfyn yn *Asbri*, Medi/Hydref 1969, roedd wedi rhoi "arwyddlun newydd i ganu modern" ac wedi "cau'r bwlch rhwng y canu neis-neis a'r canu pop". Llais benywaidd a roddodd fywyd newydd i'r sin yn 1970 oedd Eirlys Parri. Roedd hi'n benderfynol mai gwreiddioldeb o ran geiriau a cherddoriaeth a fyddai'n rhoi arbenigrwydd i ganu cyfoes Cymraeg, ac o'r cychwyn, hi ei hun a ysgrifennodd y geiriau i'r mwyafrif o'i chaneuon yn ogystal â'r gerddoriaeth i nifer ohonynt. Un o Forfa Nefyn oedd Eirlys, a thra oedd yn Ysgol Ramadeg Pwllheli bu'n canu yng nghôr yr ysgol a bu'n cystadlu fel unawdydd mewn eisteddfodau lleol a chenedlaethol. Dyma'r adeg y dechreuodd ganu gyda Lleisiau'r Llwyn, grŵp cymysg o gantorion o ardal Llwyndyrus, ychydig filltiroedd o Forfa Nefyn. Meddai Gwilym Griffith, sefydlydd ac arweinydd y grŵp:

> Roedd gan Eirlys lais arbennig. Dwi'n ei chofio hi'n canu yn steddfod Calan Morfa Nefyn, canu gwerin a chanu caneuon cyfoes i'w chyfeiliant ei hun ar y gitâr. Mi fuodd yn canu unawdau wedyn pan ddaeth i ganu efo ni yn Lleisiau'r Llwyn. Mae hi'n canu ac yn chwarae'r gitâr wrth gwrs efo ni ar y record wnaethon ni efo Tŷ ar y Graig yn 1971. Roedd hi'n sicr yn sefyll allan fel perfformwraig.

Eirlys Parri

Cafodd gyfle i ganu ar *Disc a Dawn* ac yna i recordio'n unigol gyda label Tŷ ar y Graig. Ar glawr y record gyntaf honno, yn 1970, cyfeiria Ruth Price ati fel "un o'r lleisiau sy'n aros yn y cof", ac roedd y caneuon ar y record hon yn gafael o'r cychwyn, caneuon megis 'Pedwar Gwynt', addasiad Eirlys o gân werin Americanaidd lawn hiraeth, a ganodd ar *Disc a Dawn*. Daeth cyfle iddi recordio i label newydd Sain yn 1970, a'r tro yma eto, roedd tair o'r caneuon gan Eirlys. Yr eithriad oedd 'Blodau'r Grug', cyfieithiad Cymraeg Eirlys o un o ganeuon y Bee Gees, cân sy'n arddangos holl rychwant ei llais godidog ar ei orau a'r canu taer yn cyffwrdd yr enaid. "Meddyliwch am arfordir gogleddol Llŷn," meddai Dafydd Iwan wrth gyflwyno'r record, "y môr yn torri ar draeth Morfa Nefyn, blodau'r grug ar y mynydd uwchlaw, a chri'r gwylanod ar y gwynt. Mae caneuon Eirlys yn cyfleu'r cyfan hyn a mwy, a'i llais yn llawn o ramant hiraethus y môr a'r mynydd." Cafodd Eirlys yrfa gerddorol lwyddiannus a ymestynnodd drwy'r 70au a'r 80au. Cyhoeddodd dair record hir, yn cynnwys clasuron fel 'Yfory', a chafodd ei chyfres ei hun ar S4C.

Evelyn Bridger

Un a fu'n rhan o'r sin gerddoriaeth bop Gymraeg am gyfnod byr ddiwedd y 60au oedd cantores o Fôn o'r enw Evelyn Bridger. Un o Gemaes oedd Evelyn ac un a oedd yn mwynhau canu ers pan oedd yn ifanc iawn. Bu'n aelod amlwg o Gôr Plant Cemaes, a chanodd unawd gyda'r côr pan fuont yn perfformio yn y Royal Festival Hall yn Llundain. Canodd hefyd ar raglen radio *Awr y Plant* pan oedd yn un ar ddeg mlwydd oed. Wedi gadael Ysgol Uwchradd Syr Thomas Jones, Amlwch, dechreuodd ganu gyda grŵp gitârs yn y dref. Wedi cyfarfod ei gŵr, Rod, a ddaeth o Loegr i weithio i'r awyrlu yn y Fali, dechreuodd ganu gyda grŵp o hogiau o'r awyrlu o'r enw The Whirlwinds, gan ganu caneuon rhai fel Dusty Springfield a Helen

CAMBRIAN CEP 435

EVELYN BRIDGER

Shapiro mewn cyngherddau ar draws Sir Fôn. Daeth gwahoddiadau i deithio ymhellach wedyn, i Fangor, Caernarfon, Llandudno a'r Rhyl, ond doedd yr awyrlu ddim yn rhyw or-hoff o'r syniad, felly daeth y grŵp i ben. Erbyn 1966, ac Evelyn yn ugain oed, cafodd Rod ei anfon i weithio i Singapore, ac felly ymfudodd y ddau gan fyw yno am dair blynedd. Yn fuan, roedd Evelyn wedi cychwyn canu yno a llwyddodd i gael gwaith fel cerddor preswyl yn y Cockpit Hotel. "Oedden nhw'n licio dod â chantorion i mewn i'r wlad o Awstralia ac America ac yn fodlon talu lot o bres," meddai, "a phan ddaeth 'na rywun fel fi o'n gwlad ni a chanu yn Saesneg ac ychydig yn Gymraeg, dyna be oedden nhw isio, ac roedd 'na gymaint o waith i mi wedyn ar y teledu a'r radio." Canai Evelyn mewn Malay ac yn iaith Indonesia hefyd a daeth yn dipyn o enw yno. Daeth y llwyddiant mawr pan gyrhaeddodd un o'i chaneuon, 'And So it's Goodbye', rif un yn y siartiau yn Singapore.

Daeth Evelyn adre i Gymru yn 1969 a chafodd groeso mawr gan fod pawb yn ymwybodol o'i llwyddiant. Cafodd wahoddiad i recordio i gwmni Cambrian a chyfieithodd ei chyfnither, Julia Prydderch, y gân enwog a aeth â hi i frig y siartiau i'r Gymraeg, a'i galw yn 'Pen-blwydd Hapus', record a ddaeth â sain newydd i'r byd pop Cymraeg ar y pryd, a'r canu gogleisiol a'r trefniant cerddorol yn llawn o ddylanwadau *jazz* a *cabaret*. Gwelwyd Evelyn am gyfnod ar nifer o raglenni teledu y BBC a chlywyd hi ar y radio'n aml. Ond ni chafodd gyfle i gyfrannu'n helaeth i'r byd pop Cymraeg oherwydd yn fuan, roedd Rod wedi ei anfon i'r awyrlu yn Sealand, ger Caer, ac yn ddiweddarach i Norfolk, ac yn Lloegr y bu Evelyn yn byw wedyn, gan berfformio yn y tafarndai a'r clybiau. Gweithiodd yn galed gan gael asiant a rheolwr, a pherfformiodd ar hyd y degawdau, hyd heddiw, yn y byd *caburet* gan ganu mewn gwestai a gwersylloedd gwyliau a theithio'r byd yn canu ar y llongau pleser.

GWENANN

Recordiodd Gwenann o Ddyffryn Ardudwy gyda chwmni Dryw yn 1971. Canu cerdd dant oedd ei chefndir cerddorol, gyda Parti Ardudwy dan arweiniad O. T. Morris, a bu hefyd yn canu deuawdau gyda ffrind o'r pentref o'r enw Jean Roberts. Wedyn dechreuodd edrych ar *Top of the Pops*, prynu gitâr a cheisio sylwi ble roedd y sêr pop yn rhoi eu bysedd, ac yn y man roedd yn perfformio i'w chyfeiliant ei hun ar yr offeryn ac yn diddanu cynulleidfaoedd gyda chaneuon bywiog fel 'O Hyfryd Wlad Pen Llŷn'. Bu'n mynd o amgylch

Cymru a Lloegr gan ganu mewn llefydd fel Blackpool a Leamington Spa, a chafodd dymor yn canu yn y Dixieland Show Bar, Bae Colwyn.

Un arall a ddysgodd ei hun i chwarae'r gitâr oedd Janet Humphreys o bentref Groesffordd ger Conwy. Cychwynnodd ganu i'w chyfeiliant ei hun pan oedd yn dair ar ddeg mlwydd oed. Un o gartref di-Gymraeg oedd Janet ond llwyddodd i doddi i mewn i'r sin gerddoriaeth Gymraeg am gyfnod, fel yr adrodda ei hun:

The pop scene at the time was so predominant – the 'noson lawens', and I really took to it and that's when I decided I'd quite like to sing in Welsh. I had a very good teacher, Gwen Jones. She was very helpful.

Teithiodd Gymru a Lloegr yn canu yn Gymraeg ac yn Saenseg a chafodd lawer o gynigion i fynd ymhellach â'i gyrfa, ond roedd y cyfan yn ormod i'r ferch un ar bymtheg oed a phenderfynodd roi'r gorau i berfformio. Ond nid cyn recordio record hyfryd i gwmni Dryw, a hynny yn 1972.

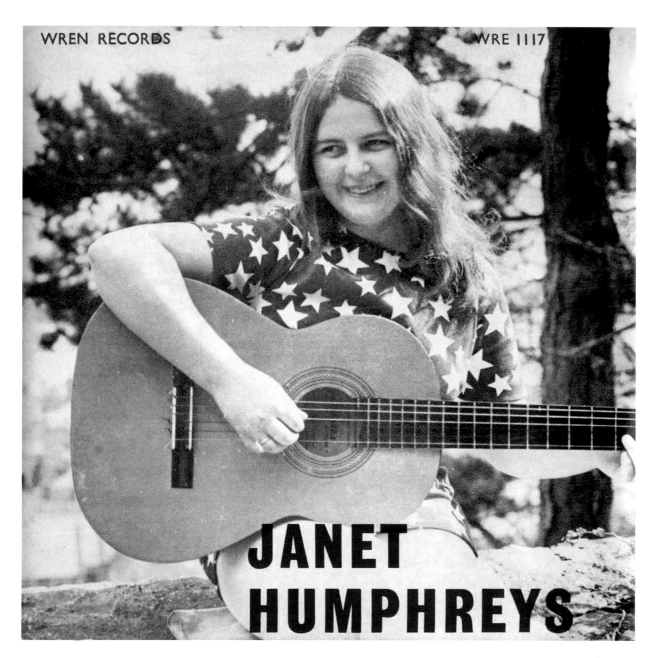

WREN RECORDS

WRE 1117

JANET
HUMPHREYS

Yn 1970, rhyddhaodd Dryw record gan gantores unigryw, Ann Morris o Dreforys, yn canu pedair cân o'i gwaith ei hun. Roedd yn y record yma ryw ddiffuantrwydd ac agosatrwydd a'r canu ar ganeuon fel 'Bydd Hon yn Ddigon' yn deimladwy a didwyll. Ail iaith oedd y Gymraeg iddi hithau hefyd ond cafodd ei thynnu i'r byd canu ac eisteddfota trwy ymaelodi'n ifanc ag Aelwyd yr Urdd, Treforys. Yn 1970 roedd yn fyfyriwr drama yng Ngholeg y Drindod, Caerfyrddin. Wrth ysgrifennu ar glawr y record dywedodd ei chyfaill, Christina Clarke, am ei llais: "…yn gynnes ond yn dreiddgar, yn agos atoch chi ond eto'n anchwiliadwy, yn llawn enaid eto'n ddadansoddol, mynega ei llais holl arwyddocâd geiriau'r caneuon…" Yn *Hamdden*, Mai 1971, adroddir mai recordio, yn hytrach na chanu ar lwyfan, oedd hoffter Ann Morris:

> Yn ei barn hi, mae'r math o ganeuon mae hi'n eu canu yn gofyn am gyfathrach glos rhyngddi hi a'r gwrandawr – cyfathrach na ellir ei gael ar lwyfan. Rhaid gwrando'n ofalus ar ei chaneuon a hynny yn yr awyrgylch

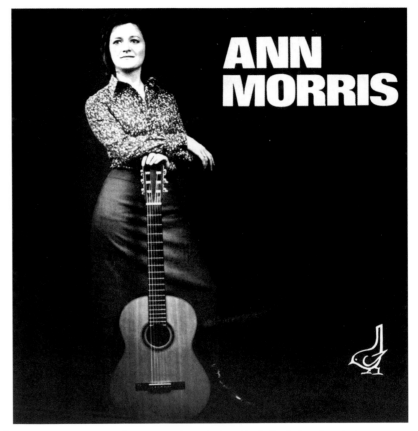

iawn – yn dawel a'r golau'n isel a'r ysbryd a'r meddwl yn y cywair iawn.

Cantorion unigol eraill a ddaeth i'r amlwg, ar lefel leol a chenedlaethol, oedd Susan Broderick (Sue Roderick yn ddiweddarach), o Borthmadog, a ganai yn unigol ac mewn deuawd â Treflyn, a Heulwen Haf o Gorwen a serennai ar raglen *Disc a Dawn*, er na recordiodd erioed. Roedd Margaret Williams a Joyce Jones yn ddwy a gyfunai'r canu ysgafn gyda'u llwyddiant yn y byd eisteddfodol, clasurol, ac

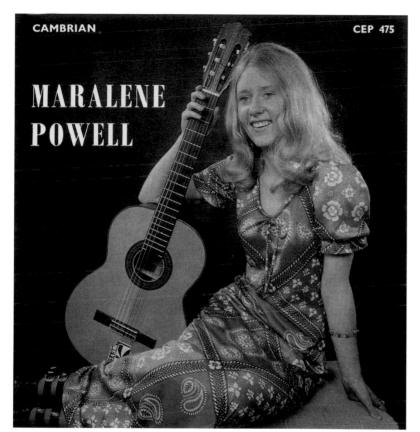

roedd Lynda Jenkins, Christine Allyn a Maralene Powell yn dair
a gyfunodd y canu Cymraeg â chanu yn Saesneg, gan ryddhau
recordiau yn y ddwy iaith. Dôi Maralene Powell o Bant-y-dŵr, Sir
Faesyfed, o deulu di-Gymraeg, a chanodd gân ar ei record i gwmni
Cambrian yn 1971 am y bygythiad i'w chwm genedigol, Cwm
Dulas, gan argae tebyg i argae Tryweryn. Dôi o deulu cerddorol a
rhyddhaodd saith record i gyd yn ystod y 70au, gan gynnwys record
o ddeuawdau gyda'r chwaraewr rygbi, Gareth Edwards.

   Wrth i gyfnod y 70au fynd rhagddo, roedd synau a chantoresau
newydd yn codi a chyfnod cerddorol newydd yn gwawrio
unwaith eto…

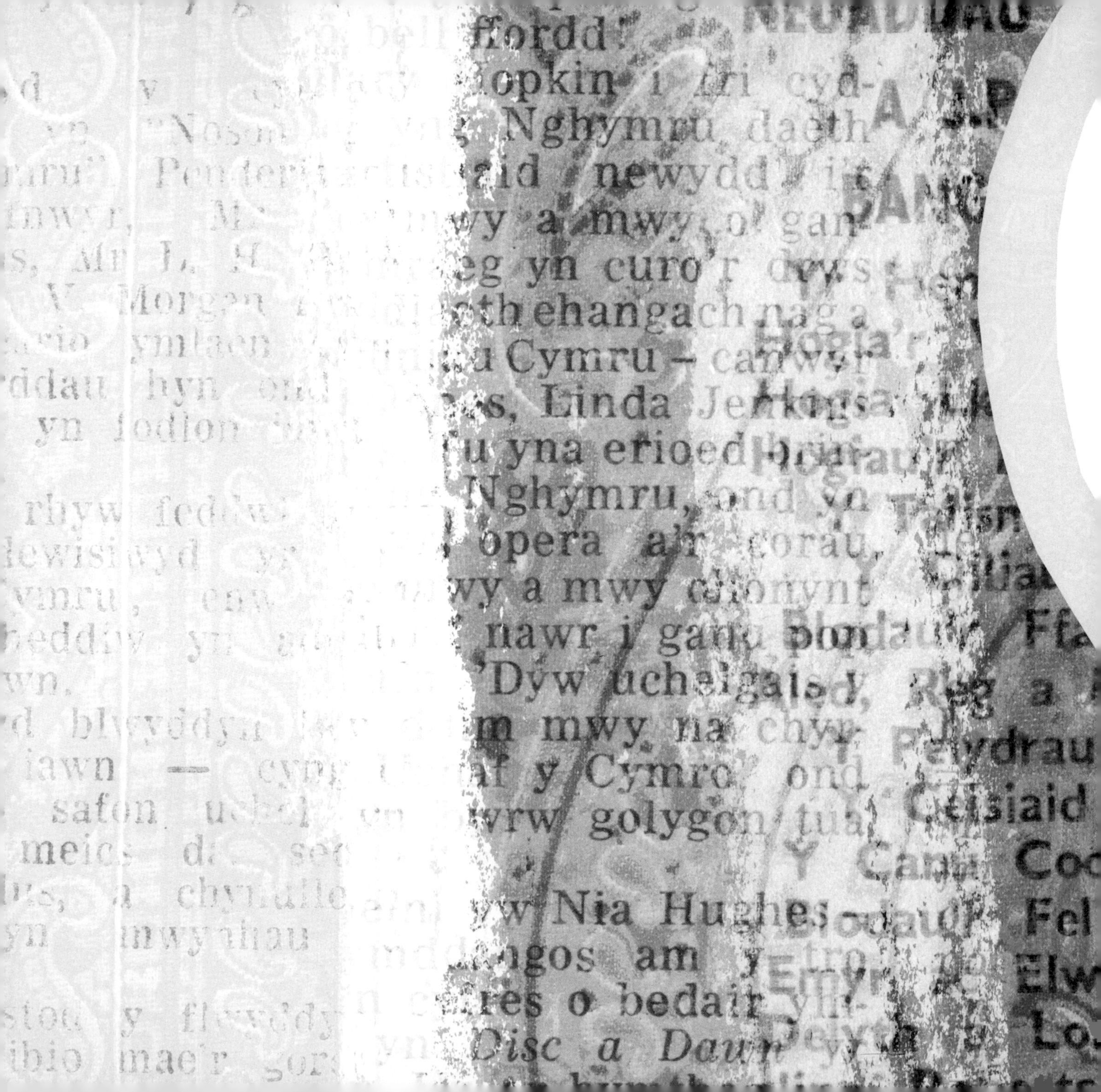
ffordd.
Nghymru daeth
newydd
mwy a mwy o gan
yn curo'r
ehangach na
Cymru – canwyr
Linda Jenkins
yna erioed
Nghymru, ond yn
opera a'r corau,
mwy a mwy ohonynt
nawr i ganu pop
'Dyw uchelgais
mwy na chyn-
y Cymro, ond
golygon tua
Nia Hughes
res o bedair yn-
Disc a Dawn
Pelydrau
Celsiaid

1973-1980

Seiniau newydd gwerin a roc

Gyda'r 70au fe ddaeth dylanwadau cerddorol newydd ar
gerddoriaeth bop Gymraeg. Roedd grwpiau fel Hergest ac Ac Eraill
yn efelychu cerddoriaeth newydd arfordir gorllewin America ac,
o dan ddylanwad cerddorion fel Alan Stivell o Lydaw, yn coleddu'r
gerddoriaeth fwy gwerinol, Geltaidd ei naws. Gwelwyd hefyd
fudiadau Cymdeithas yr Iaith ac Adfer yn dod yn fwy poblogaidd
eto a'u gwelediaeth yn cael ei hymgorffori yn y caneuon. Roedd
cerddoriaeth roc yn symud ymlaen yn ogystal, a seiniau newydd,
cyffrous Edward H Dafis yn siglo Eisteddfod yr Urdd a nosweithiau
enwog Pafiliwn Corwen hyd at eu seiliau. O ran y merched, grŵp
mwyaf dylanwadol y 70au, heb os, oedd Sidan. Daeth y merched
o Ysgol Glan Clwyd, sef Caryl Parry Jones, Sioned Mair, Gwenan
Evans, Meinir Evans a Gaenor Roberts, ac un bachgen, sef Gareth
Parry, at ei gilydd gyntaf yn eu harddegau cynnar, dan arweiniad
eu hathro bywydeg, Austin Savage. Meddai Sioned:

Roedd o wedi hel rhyw chwech ohonon ni at ein gilydd
i fynd o gwmpas capeli yn canu. Mi roedd 'na nifer o
gapeli bach yn y wlad heb weinidog ac roedden ni'n
cynnal gwasanaeth. Roedden ni'n canu, darllen darnau
o'r Beibl, yn gwneud bob dim, a dyna sut gychwynnon
ni gyfansoddi, wrth gyfansoddi alawon gwahanol i
eiriau'r emynau.

Sidan

Parhaodd yr emynau i fod yn rhan ganolog o'u *repertoire* ar hyd y blynyddoedd dilynol, yn cynnwys ffefrynnau fel yr emyn-dôn 'Sarah'. Roedd Sioned wedi bod yn canu am rai blynyddoedd gyda'i chwaer, Lowri, ac wedi gwneud record i label Dryw yn 1971. Ond pan enillodd Sidan gystadleuaeth grŵp pop Eisteddfod yr Urdd y Bala, 1972, a hwythau'n 15 oed, dechreuodd y grŵp gael gwahoddiadau i ganu ar hyd a lled Cymru ac ar y teledu. Daeth cyfle i recordio'r gân fuddugol, 'Lliwiau', gyda Sain yn stiwdio enwog Rockfield a daeth y record allan yn 1972, yn cynnwys pedair cân wedi

eu cyfansoddi gan y merched eu hunain. Erbyn eu hail record, yn 1973, *Ai Cymro Wyt Ti?*, roedd llais Gareth wedi torri, gan adael y merched yn unig, ac aethant o nerth i nerth. Dyma a ddywed clawr yr ail record honno:

Prin y gwnaeth yr un record gyntaf gymaint o argraff ag un y Sidan... Caneuon gwreiddiol a sŵn clir, cyfareddol a newydd... Mae'r geiriau hwythau yn dangos newid ac yn adlewyrchu'r sefyllfa gyfoes trwy lygaid merched ifanc o Gymry Cymraeg sy'n byw mewn rhan o Gymru a gollodd yr iaith ond sy'n graddol ei had-ennill.

sain 27

yn gân a oedd yn dangos ochr newydd eto i'w cerddoriaeth. Daeth cyfleoedd i Sidan rannu llwyfan yn gyson â rhai fel Edward H Dafis, Ac Eraill a Hergest, ond mewn cyfweliad yn *Asbri*, haf 1974, roeddynt yn parhau i ddisgwyl am gyfle i ymddangos ar yr un llwyfan â'r Diliau. Gobeithient hefyd bryd hynny am gyfleoedd i ganu yn y gwledydd Celtaidd. Daeth cyfle yn 1974 i fynd i Lydaw gyda'r grŵp Ac Eraill, a hynny bron yn syth wedi iddynt ymddangos yn y sioe *Nia Ben Aur* yn Eisteddfod Caerfyrddin, gyda nifer o sêr pop eraill y cyfnod. Dyma sioe a dorrodd dir newydd ar y pryd a sioe a roddodd gyfle i Sidan swyno pawb â'u dehongliad arbennig, llawn harmonïau clòs a phrydferth, o'r gân 'Cwsg Osian'. Meddai Gaenor:

Meddai Ian Williams am y record yn *Asbri*, gaeaf 1974: "Dyma record i'w thrysori gan un o'r ychydig grwpiau merched o bwys sydd ar gael." Roedd Sidan yn cynrychioli sain newydd, agwedd newydd ac ardal newydd o Gymru yn y sin gerddoriaeth bop Gymraeg.

Yn 1975 rhyddhawyd unig record hir Sidan, sef *Teulu Yncl Sam*. Cynhyrchwyd y record gan yr amryddawn Hefin Elis, a fu hefyd yn gyfrifol am y trefniannau cerddorol, a chlywyd arni sain, techneg a pherfformio proffesiynol. Gyda phob record roedd datblygiad yn sain y grŵp, ac roedd 'Dwi Ddim Isio'

Dwi'n cofio ni'n mynd i Lydaw ar fws o Ruthun ond ar y ffordd 'nôl wedi trefnu ein bod yn mynd i Rennes i wneud rhyw eitem radio, a mi aethon ni efo hogiau Ac Eraill mewn bws mini ac eistedd ar lawr yn hwnnw. Yn ein blaenau wedyn i Calais a chyrraedd a'r cwch wedi mynd! Cyn hynny roedden ni wedi bod yng Nghaerdydd am bythefnos yn ymarfer *Nia Ben Aur*, syth lawr i Gaerfyrddin wedyn i berfformio, wedyn i Lydaw, a heb weld Mam a Dad am ryw bum wythnos...

"Roedden ni'n teithio i bob man yn ferched ysgol," meddai Sioned, "oedden ni'n cael lot fawr o hwyl. Roedden ni'n canu bron bob penwythnos ond roedd 'na lot o grwpiau bechgyn bryd hynny ac mi wnaethon ni symud o'r ffrogiau hir, pert, i'r jîns a'r *desert boots*, dyna oedd y ffasiwn."

Perfformiodd Sidan ar lwyfannau mawr a bach, gan gynnwys cyngherddau fel Pan Ddêl Medi a Twrw Tanllyd ym Mhafiliwn Corwen ganol y 70au, gan fod yn un o'r ychydig artistiaid benywaidd ymhlith grwpiau fel Hergest, Mynediad am Ddim, Brân, Chwys, Edward

H Dafis ac Ac Eraill. Chwaraeodd Sidan ran flaenllaw yn llywio cwrs cerddoriaeth bop Gymraeg a thrwy'r cydweithio a'r holl deithio a pherfformio, mae Sioned Mair yn teimlo bod eu perthynas gerddorol glòs wedi arwain at gyfeillgarwch oes:

Roedden ni yn yr ysgol efo'n gilydd ac efo'n gilydd bron bob penwythnos a hyn mewn cyfnod allweddol iawn yn ystod ein bywydau ni. Roedden ni i gyd yn ein harddegau cynnar ac mae'r berthynas yna, dio'm ots be sy'n digwydd, pan 'dan ni'n gweld ein gilydd, mae hwnna'n para

Sidan

byth... Wrth fod mewn band, 'dach chi'n dibynnu ar eich gilydd a mae 'na lot o 'dryst' yna a mae hynny'n rhywbeth arbennig iawn.

Pan gychwynnodd y merched yn y coleg, daeth Sidan i ben. Yn y man, ymunodd Sioned a Caryl â'r grŵp ffync roc Injaroc oedd yn cynnwys nifer o gerddorion amlwg y dydd – Cleif Harpwood, Geraint Griffiths, Endaf Emlyn, Charli Britton, Hefin Elis a John Griffiths. Ond dim ond am naw mis y bu'r grŵp yn perfformio, fel yr eglura Sioned Mair: "Falle ei fod o ychydig o flaen ei amscr a dwi'm yn meddwl bod lot o bobl yng Nghymru yn barod am yr holl ddylanwadau Eingl-Americanaidd, a dyna be wnaeth fynd yn erbyn y grŵp ar y pryd."

Rhoddodd yr opera roc arloesol *Nia Ben Aur* yn 1974 gyfle mawr i Sidan a llwyfan arall i'r gantores Heather Jones, gan arwain at ragor o sioeau tebyg a nifer o'r merched yn gwneud eu marc ynddynt. Yn 1975 cafodd Gillian Elisa gyfle i ddangos ei doniau fel cantores ac actores wrth actio rhan Branwen yn y sioe deledu *Melltith ar y Nyth* gan Hywel Gwynfryn ac Endaf Emlyn, a bu Caryl Parry Jones yn serennu fel Mair Magdalen yn y sioe *Gorffennwyd!* gan Hefin Elis, a Sidan hefyd yn rhan o'r sioe. Yn 1973, yn Eisteddfod Genedlaethol Dyffryn Clwyd, trefnwyd noson arbennig ym Mhafiliwn Corwen gan Gymdeithas yr Iaith, noson a roddodd lwyfan i artistiaid pop, roc a gwerin y dydd, ac yn eu plith, Sidan a merch ifanc o Fôn, sef Leah Owen. Y noson honno, sydd i'w chlywed o hyd ar record gan Sain, oedd Tafodau Tân.

Cafodd Leah Owen ei magu yn Rhosmeirch, Sir Fôn, ac ers pan oedd yn ifanc bu'n llwyddiannus mewn eisteddfodau o bob math. Cafodd ei thrwytho mewn canu gwerin a cherdd dant a phan oedd yn ddisgybl yn Ysgol Uwchradd Llangefni, tua 1968, cafodd ei gitâr gyntaf ac aeth ati i ganu pop. Dechreuodd wneud enw iddi ei hun yn genedlaethol ac yn Eisteddfod Genedlaethol Rhydaman yn 1970, daeth i'r brig mewn pedair cystadleuaeth, gan gynnwys y canu gwerin a cherdd dant. Yn 1973, a hithau'n fyfyrwraig yng Ngholeg Prifysgol Bangor, rhyddhawyd ei record gyntaf, gan gwmni Cambrian. Dyma record o ganeuon â'u gwreiddiau cerddorol yn sicr yn y traddodiad gwerin ond a gynhwysai hefyd naws gyfoes, gyda chyfeiliant gitâr drydan, bas a drymiau yn cyfuno â'r delyn a'r organ. Leah ei hunan a gyfansoddai'r gerddoriaeth i'r caneuon. "O edrych dros ffurfafen gerddorol Cymru y blynyddoedd diwethaf hyn," meddai'r broliant ar gefn y record, "mae un seren a fu'n pelydru'n gyson, gan gynyddu'n raddol mewn disgleirdeb. Nid seren wib mohoni…" Aeth Leah ymlaen i gyhoeddi saith record hir ar label Sain, gan ddod yn wyneb cyfarwydd ar radio a theledu ac yn arbenigwraig ym maes canu gwerin a cherdd dant. "Un o'r lleisiau hyfrytaf a recordiwyd gennym erioed," meddai Dafydd Iwan am lais Leah.

HAMDDEN

CYFROL VIII   RHIF 77   MAWRTH 1972   8c

O ganol y 60au hyd heddiw, mae un llais benywaidd wedi bod yn rhan ganolog o'r sin gerddoriaeth gyfoes yng Nghymru, a hynny'n ddi-fwlch. Llais Heather Jones yw hwnnw. Pan ryddhawyd ei record gyntaf, *Caneuon Heather Jones*, ar label Welsh Teldisc yn 1968, roedd eisoes wedi gwneud enw iddi ei hun gyda'i chanu gwerin hudolus i'w chyfeiliant ei hun ar y gitâr. Cyfansoddai nifer o'r caneuon gyda'i chariad, Geraint Jarman, ac yn fuan iawn daeth y fyfyrwraig ifanc yng Ngholeg Caerleon yn un o leisiau mwyaf eiconig y genedl. "Mae ei chaneuon yn newydd ac yn ffres a'i datganiadau hi ohonyn nhw yn ddeallus a didwyll," meddai'r cylchgrawn *Hamdden* amdani yn rhifyn Rhagfyr 1968, a'i llais "yn glir, yn soniarus ac mae rhyw dinc ysgafn o dristwch oesol ynddo." Canu gwerin oedd ei chanu ar yr adeg yma ac yn ogystal â pherfformio mewn cyngherddau ar hyd a lled Cymru, gan gynnwys Pinaclau Pop enwog Pontrhydfendigaid yn 1968, roedd hefyd yn canu yn Saesneg mewn sawl clwb gwerin yn y de. Arwydd o'i phoblogrwydd oedd iddi ddod yn ail i Mary Hopkin o un bleidlais yn unig yn ngwobr *Asbri* am y gantores fwyaf poblogaidd yn 1969 – tipyn o gamp o ystyried fod Mary, erbyn hynny, yn fyd-enwog. Daeth sengl arall ganddi yn 1969, y tro yma gyda chwmni Cambrian, ac roedd Heather yn ystyried o ddifrif mynd i ganu'n llawn amser. Wedi blwyddyn yng Ngholeg Caerleon, gadawodd y coleg a rhoi'r gorau i'r syniad o fynd yn athrawes Gymraeg, gan fentro mynd yn broffesiynol.

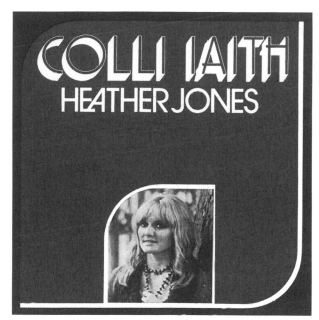

Cafodd lawer iawn o waith teledu yn dilyn hyn. Yn 1971 yn unig ymddangosodd 28 o weithiau mewn amrywiol raglenni ac ar ddiwedd 1972 roedd wrthi'n recordio wyth o raglenni yn ei chyfres deledu ei hun, sef *Gwrando ar fy Nghân*, wedi ei henwi ar ôl un o'i chaneuon. Tra oedd yn perfformio yn y sioe enwog *Sachliain a Lludw* gyda Meic Stevens ac eraill yn Eisteddfod Bangor yn 1971, cyfarfu â'r grwp roc James Hogg, o Ben-y-bont ar Ogwr, a bu'r band yn gefndir cerddorol iddi ar ddwy record ddylanwadol a ryddhawyd ganddi ar label Sain yn 1971 ac 1972. Y gyntaf oedd *Colli Iaith*, sef geiriau pwerus Harri Webb ar alaw hyfryd Meredydd Evans, a'r ail oedd *Pan Ddaw'r Dydd*, yn cynnwys clasuron gan Geraint Jarman, megis 'Cwm Hiraeth' a 'Pan Ddaw'r Dydd', a hefyd 'Cân o Dristwch' gan Meic Stevens.

Ffurfiodd Heather y grŵp merched Neli yn 1974, gyda Catrin Edwards, a fu'n cyfansoddi nifer o ganeuon iddi, a Helen Bennett a Bethan Miles. Grŵp acwstig oedd Neli yn cynnwys offerynnau fel gitâr, ffidil, feiola, mandolin a banjo, ac er iddyn nhw ymddangos ar *Cân i Gymru* ganol y 70au, ni recordiodd y grŵp. Meddai Catrin Edwards:

> Roedd Neli'n canu cyfuniad o drefniannau gwerin digyfeiliant, traddodiadol a threfniannau o hen ffefrynnau fel 'Llanast' a 'Fy Llong Fach Arian i', a chaneuon gwreiddiol hefyd gen i, fel 'Paid ag Eistedd' a chaneuon gwreiddiol, dychanol a boncyrs gan Bethan, fel 'Bresych' a 'Cêt the Grêt'!

Yn 1974 hefyd y rhyddhawyd record hir gyntaf Heather, *Mae'r Olwyn yn Troi*, ar label Sain, albym sy'n cael ei ystyried yn un o glasuron y 70au. Dyma

Heather Jones
mae'r olwyn yn troi

band, roedd Heather wedi mentro go iawn i'r byd roc. Rhyddhaodd yr albym *Jiawl* a gyda chaneuon fel 'Cân i Janis', teyrnged i'r gantores roc wyllt a ffyrnig o America, Janis Joplin, roedd Heather yn mentro ymhellach gyda'i sain a'i harddull: "Dwi'n canu gyda grŵp nawr," meddai wrth *Asbri* yng ngwanwyn 1977, "…dwi'n gallu gwneud caneuon roc a rôl o'r diwedd. Roedd yn rhy hawdd canu gyda gitâr. Roedd rhaid i mi ddatblygu, mynd ymlaen a trio pob agwedd o ganu…" Yr un pryd roedd yn cael llawer iawn o waith yn Lloegr a bu'n canu gyda'r grŵp roc-*jazz* Red Brass, a oedd hefyd yn cynnwys y gantores Annie Lennox. Canent mewn clybiau *jazz*, theatrau a cholegau a rhwng popeth, roedd digon o waith i Heather. "Ni fedraf weithio fel rhywbeth arall yn ystod y dydd a throi at ganu yn y nos," meddai, "…mae'n rhaid i mi fyw canu a cherddoriaeth o waelod fy nghalon."

albym sy'n dangos datblygiad eto yn arddull gerddorol Heather a'r caneuon yn gymysgedd o ganeuon roc a chaneuon gwerin, yr offerynwyr yn rhai o fri, yr offerynnau megis recorder, llinynnau ac obo yn cynnig rhywbeth newydd, ac effeithiau fel sŵn carnau ceffylau ar y gân agoriadol drawiadol, 'Glyndŵr', yn hynod o effeithiol.

Bu datblygiad eto yn ei harddull ac erbyn 1976, gydag offerynwyr fel y gitarydd amryddawn Tich Gwilym, a rhai o'r cerddorion a fu'n chwarae ar albym Geraint Jarman, *Gobaith Mawr y Ganrif*, yn rhan o'i

Yn ystod yr 80au daeth Heather yn ôl at ei gwreiddiau gwerinol wrth iddi berfformio a recordio gyda'r grŵp Hin Deg. Aeth ymlaen i recordio chwech albym unigol a rhyddhawyd casgliad o'i chaneuon gorau gan Sain. Yng ngeiriau Dafydd Iwan: "Mae Heather wedi llwyddo i ddal ei thir dros hanner canrif gan rychwantu canu gwerin, canu roc, sioeau cerdd, canu protest a chanu gwlad," ac mae'n dal i'n swyno a'n cyfareddu.

Brân

Erbyn canol y 70au, prin oedd y grwpiau lle gwelwyd un ferch yn y blaen ond yn 1974, roedd grŵp newydd yn dod i'r amlwg, grŵp a ffurfiwyd oherwydd diffyg caneuon bît modern. Dyma grŵp a lwyddodd i wneud eu marc o ran cerddoriaeth roc drydanol ond, ar yr un pryd, roedd ganddynt droed yn y maes mwy acwstig a gwerinol. Roedd Brân yn unigryw ar y pryd gan fod merch yn un o'u prif aelodau, ac yn aml yn canu'r caneuon ac yn eu cyfansoddi. Nest Howells o Langefni oedd honno, myfyrwraig yn y Coleg Normal. Ffurfiodd Gwyndaf Roberts, John Gwyn a Keith Snelgrove y grŵp yn 1973 ac yn fuan, ymunodd Nest, gan ganu efo nhw ar eu record gyntaf, *Gwynant*, ar label Gwawr. "Cefais fy hebrwng yn syth

Nest Howells

Felly roedd yna alw am grwpiau i gyflwyno cerddoriaeth ddawns ac i gymryd rhan yn y nosweithiau disgos yma a oedd yn cael eu trefnu'n bennaf gan Gymdeithas yr Iaith, Plaid Cymru a'r Urdd.

i Gaer i stiwdio recordio yno," meddai Nest, "ac fel roeddwn i'n mynd i mewn roedd Gerry and the Pacemakers yn cerdded allan! Dechrau da i'r daith gerddorol!" Yna, ymunodd Dafydd Roberts â'r grŵp, wedi i Keith Snelgrove adael. Bu'r grŵp yn brysur tu hwnt a chaent wahoddiadau lu i berfformio. Meddai Nest eto:

Roedd newidiadau cyffrous yn digwydd yng Nghymru ar y pryd gyda dyfodiad y DJs a dawnsfeydd yn cael eu trefnu ar gyfer pobl ifanc yn benodol a hynny ar hyd a lled Cymru.

Enillodd Brân gystadleuaeth Cân i Gymru yn 1975 gyda'r gân 'Caledfwlch', a Nest yn canu, ac aethant ymlaen i gystadlu ac i ennill yn yr Ŵyl Ban Geltaidd yng Nghillarney, a'r grŵp Gwyddelig byd-enwog, Clannad, yn dod yn ail. Cawsant wahoddiad gan Sain yn 1975 i recordio record hir, sef *Ail Ddechra*, record sy'n cael ei hystyried yn glasur hyd heddiw, oherwydd y cyfuniad o seiniau roc unigryw a'r canu mwy telynegol. Gan mai ychydig o grwpiau roc oedd yng Nghymru ar y pryd, caent wahoddiadau i berfformio ym mhob math o leoliadau gan gynnwys cyngherddau

Brân, Killarney 1975

Erbyn rhyddhau eu hail record hir yn 1976, sef *Hedfan*, roedd y grŵp allan bron bob penwythnos yn perfformio ac yn ymddangos ar lu o raglenni teledu, rhaglenni newydd fel *Jam*.

Nest a John Gwyn fyddai'n cyfansoddi'r mwyafrif o ganeuon y grŵp, ac o ran cyfansoddi a pherfformio roedd dau o gerddorion amlwg y 70au yn sefyll allan gan Nest:

> Piano oedd fy offeryn I ac roedd y dylanwad clasurol yn gryf ond roeddwn i'n hoff iawn o waith Rick Wakeman ar y pryd, gŵr oedd yn gwneud defnydd o bob math o wahanol allweddellau, synthesisers a melotron, ac mi wnaeth ei gerddoriaeth o ddylanwadu llawer arna i pan gyfansoddais 'Breuddwyd' ar gyfer record hir gyntaf Brân. Roeddwn yn gwneud defnydd helaeth o felotron a synthesisers yn y perfformiadau byw hefyd ar lawer o'r caneuon. Roedd Carole King yn gantores roeddwn i'n hoff iawn ohoni, yn bennaf oherwydd ei bod yn chwarae'r piano yn ogystal â chanu. Hi sbardunodd y gân 'Dyddiau Dwys' mae'n debyg.

mawr Twrw Tanllyd a'u tebyg. Yn ôl Nest, roedd naws y nosweithiau yn dylanwadu ar y math o ganeuon a berfformiai'r grŵp:

> Cyn y cyfnod yma roedd grwpiau yn chwarae i gyfeiliant offerynnau acwstig a'r geiriau yn dueddol o ymwneud â serch neu foliant i'n gwlad a'r geiriau yn raenus a chaboledig! Ond gyda dyfodiad y ddawns fel lleoliad y perfformiadau, roedd natur y geiriau yn dueddol o fod yn llai ffurfiol a mwy ffwrdd-â-hi, caneuon fel 'Tocyn' a 'Blodyn'.

Yn 1976, gadawodd y brodyr Dafydd a Gwyndaf Roberts y grŵp i ffurfio'r grŵp gwerin Ar Log, a gadawodd Nest hefyd a dechrau ar yrfa fel athrawes. "I mi, fel merch," meddai Nest, "roedd yr holl brofiadau efo Brân yn gyfle i agor adenydd ac i brofi byd cyffrous ac ennill dipyn o hyder, ac yn fwy na dim arall efallai i ddod i adnabod fy ngwlad drwy deithio i bob twll a chornel ohoni mewn dyddiau pan nad oedd cymaint o brofiadau cyffelyb i'w cael." Erbyn hyn mae merch Nest, Elin Fflur, yn un o gantoresau cyfoes mwyaf amlwg Cymru.

A beth am y ffasiwn erbyn canol y 70au?
Dyma'r cyfnod pan oedd yr *hippies* yn eu bri ac roedd efelychu'r steil yma yn sicr yn gwneud i ni deimlo'n *trendy*! Dyma gyfnod y defnydd *cheesecloth* yn dopiau neu'n ffrogiau llaes a gwisgo band tenau o amgylch y pen neu lunio plethan. Roedd jîns denim yn ffasiwn a chofiaf hefyd i mi brynu côt gaeaf laes at y llawr a'r defnydd mewn patrwm *herringbone*! Ew, ro'n i'n meddwl 'mod i'n grand!

Mae'n cofio prynu ffrog mewn siop yng Nghorwen un tro, cyn mynd i ganu mewn gìg yn y Pafiliwn yno:
… ffrog o ddefnydd sidan efo sawl rhan i'r dyluniad a phob rhan mewn patrwm gwahanol. Gwisgais hi i ganu y noson honno gan obeithio y buasai yn rhoi ychydig o hyder i mi – doeddwn i byth yn gwbl hyderus wrth berfformio! Wedi i ddyddiau Brân ddod i ben, rhoddais y ffrog i gadw yn yr atig. Flynyddoedd yn ddiweddarach prynodd Elin, fy merch, ffrog yn Glastonbury, gyda bron iawn yn union yr un dyluniad ac un rhan yn union yr un patrwm, heb wybod dim am y ffrog yn yr atig! Rhyfedd o fyd!

Wedi dyddiau arloesol Brân, bu Nest yn canu yn y grŵp Pererin gydag Arfon Wyn. Aeth Pererin ymlaen i ennill cystadleuaeth Cân i Gymru yn 1979, gyda 'Ni Welaf yr Haf', a Nest yn brif leisydd y gân.

Grŵp a fu'n perfformio gyda Brân yn y cynhyrchiad *Harping Around*, yn 1975, sioe i ymwelwyr a berfformiwyd gan gast o actorion a cherddorion Cymraeg ym Metws-y-coed a Theatr Gwynedd, oedd Wmffra. Aelodau Wmffra oedd y gitarydd Meredydd Morris, Aled Glynne, Aled Samuel ac Ann Llwyd. Roedd Ann yn ganolog yn y grŵp a chwaraeai'r delyn a'r gitâr yn ogystal â chanu nifer o'r caneuon. Bu'r ddau Aled a Meredydd hefyd yn aelodau o Paned o De, a merch eto oedd yn canu yn y grŵp yma, sef Carol Wyn Williams o Fethesda. Yng Nghaerdydd roedd merch arall, o'r enw Velvor Lewis, yn canu gyda chriw o'i chyd-fyfyrwyr yn y grŵp Camlan. Ffurfiodd y grŵp yng Nghymdeithas y Cymric yn y coleg yn y brifddinas ac un o'r aelodau eraill oedd Phil Edwards, a fu hefyd yn aelod canolog o'r grŵp Ac Eraill.

Un dyn ymhlith y merched oedd y canwr o Batagonia, René Griffiths, yn y grŵp Y Briwsion. Daeth René i Gymru o'r Wladfa yn 1972 i astudio yng Ngholeg Harlech ac yn y man symudodd i fyw i Aberystwyth, ac yno, ymunodd â chriw o ferched o Ysgol Penglais yn y dref i ffurfio'r grŵp. Yng Ngholeg Prifysgol Aberystwyth, ffurfiodd Miss Asbri 1974, sef Eirian Davies, grŵp o'r enw Coes Glec ar gyfer Eisteddfod Ryng-golegol 1973. Mae'n debyg i Eirian dorri ei choes tra oedd yn ei blwyddyn gyntaf ac Eirian Coes Glec fu hi wedyn i'w chyfoedion! Roedd nifer o grwpiau merched eraill mewn conglau gwahanol o'r wlad, gan gynnwys Yr Awelon (Rhostryfan a Rhosgadfan), Yr Arian (Blaenau Ffestiniog), Tair a Dime (Wrecsam) a

Sinsir (Pontrhydygroes), grŵp pop Celtaidd ei naws a fu hefyd yn canu tipyn yn Llydaw. Yn Ysgol y Berwyn ffurfiwyd Adlais, grŵp a gynhwysai'r gerdd-dantwraig Gwennant Pyrs, ynghyd â Nan Vaughan, Janet Lloyd ac Edwina Owen, a grŵp a glywir fel lleisiau cefndir ar nifer o recordiadau'r cyfnod gan gynnwys y gân 'Ti yw fy Nghân', gan Eirlys Parri. Cawsant eu hysbrydoli gan ganu Sidan, ac mae'n debyg i Sidan fod yn ddylanwad ar nifer o grwpiau merched y cyfnod, a hwythau'n enwog ledled Cymru.

Esblygodd Beca o'r grŵp poblogaidd Perlau Tâf. Roedd Mary Rees a Beti Williams yn ddwy o aelodau gwreiddiol Perlau Tâf, ac ymunodd Siân Williams ac Eirlys Davies gyda nhw yn 1977 i ganu yn Beca. Rhyddhawyd dwy record ar label Sain, sef *Mynd i Arall Fyd* a *Gwely Plu*.

Mônsŵn

O Ysgol Uwchradd Abergwaun daeth grŵp o bedair merch a dau fachgen, yn dwyn yr enw Deri. Cawsant eu hysbrydoli gan arddull werinol rhai fel Ac Eraill a Hergest a bu'r grŵp, dan arweiniad eu hathro drama, Euros Lewis, yn canu yn Noson Asbri 1974. Yn Ysgol Uwchradd Aberaeron ffurfiwyd y grŵp Pedros Oilyn ac un o'r aelodau oedd Heulwen Tomos o Lannarth – Seren Asbri 1977. Grŵp o Fôn oedd Mônsŵn, pedair merch o Ysgol Uwchradd Llangefni – Nia, Gwyneth, Rita a Siân, ac un bachgen, Anthony, yn cyfeilio iddynt ar y gitâr. Canodd y criw o ffrindiau mewn nifer o nosweithiau yn y gogledd gan gynnwys ar lwyfannau enwog y Majestic yng Nghaernarfon a'r Plaza ym Mangor, ac mae dau drac ganddynt ar y record *Sêr Cymru*, sef noson wedi ei

IOLA A NIA

Paradwys, Llangristiolus, yn brysur yn diddanu mewn nosweithiau llawen gan ddechrau drwy fynd gyda'u tad, Tecwyn Gruffydd, oedd yn denor da iawn, i gadw cyngherddau. Cawsant gyfle i ganu a recordio'r gân groeso i Eisteddfod yr Urdd Porthaethwy yn 1976 a dechreuodd y ddwy ysgrifennu rhagor o ganeuon pop. Eu taid oedd Ifan Gruffydd, awdur *Y Gŵr o Baradwys*, a naturiol felly oedd i'r ddwy gael canu ar y record *Canu Paradwys* a ryddhawyd gan Sain ddechrau'r 80au. Mae traddodiad cerddorol y teulu yn parhau yng nghanu merch Sioned, Meinir Gwilym.

Ar hyd y blynyddoedd, daeth sawl grŵp o stabl Ysgol Glan Clwyd, ysgol uwchradd Gymraeg gyntaf Cymru, â'i safle, o 1969 ymlaen, yn Llanelwy. Ar un adeg, ganol y 70au, roedd dau grŵp pop benywaidd, ar wahân i Sidan, yn yr ysgol. Gweichion oedd un, a'r aelodau o ardaloedd Llansannan a Llanefydd, a'r llall oedd Swyn, a fu'n canu am rai blynyddoedd hyd haf 1976, a'r aelodau y tro yma o dref Dinbych. Pan gychwynnodd Swyn ddechrau'r 70au roedd 11 aelod, ond erbyn 1975, wedi newid enw dair gwaith, setlodd y grŵp i fod yn saith aelod, sef y ddwy chwaer Linda a Gillian Holmes, Marian Rawson, Wendy Williams, Janet Roberts, Angharad Owen a Nerys Ann Jones. A hithau'n gyfnod pan oedd cerddoriaeth a dylanwadau newydd yn amlygu eu hunain yn y sin bop Gymraeg, roedd Swyn

recordio'n fyw o'r Majestic, lle buont yn rhannu llwyfan â neb llai na Ryan a Ronnie a'r Diliau.

Roedd hi'n dal yn ffasiwn i chwiorydd ganu gyda'i gilydd yn y 70au, a dwy chwaer a fu'n swyno cynulleidfaoedd mewn nosweithiau byw ac ar deledu a radio oedd Iola a Nia o Abergele. Mae eu canu pop gwerinol i'w glywed ar record gan gwmni Dryw o 1973. Yn ardal Rhuthun roedd dwy chwaer arall, Rhian a Non Parry, yn canu dan yr enw Awen Clwyd i gyfeiliant gitâr a mandolin Roland Williams ac Emyr Lloyd. Bu dwy chwaer o Fôn, Cathrin a Sioned Williams o blwyf

Swyn a Nerys Ann, Seren Asbri 1975

CAMBRIAN   CEP 491

Swyn

BACHGEN BACH O DINCER
HEULWEN MAI
GOBAITH
DIM BYD O'I LE

â'u gwreiddiau'n sicr yn nhraddodiad y noson lawen Gymreig ac yn cynnal nosweithiau cyfan eu hunain, yn sgetsys, canu gwerin, cerdd dant yn ogystal â chanu pop, mewn festrïoedd capel a neuaddau, a hynny am gostau petrol a phaned a lluniaeth ar derfyn y noson. Gillian a Linda fyddai'n cyfansoddi ran amlaf a'u mam, Mrs Gillian Holmes, yn eu hyfforddi, a byddent yn cyfarfod yn eu hystafell ffrynt yn Ninbych i ymarfer. Meddai Nerys Ann: "Oedd Mr a Mrs Holmes yn mynd â ni i bob man yn y car… dwi'n cofio trio mynd trwy ryw dwnnel a'r delyn ar ben y car…!" Mae'n debyg mai Nerys Ann, â'i llais clir a theimladwy, oedd seren y grŵp, a hynny'n llythrennol, gan iddi ennill y teitl Seren Asbri 1975. Dywed Linda mai dyma oedd yr uchafbwynt i'r grŵp, "teithio i Aberystwyth i'r gystadleuaeth… Nerys Ann yn canu a'r grŵp yn canu cefndir iddi. Y wobr oedd cael recordio EP efo cwmni Cambrian. Fe gawsom ambell daith i lawr i Gaerdydd wedyn i recordio ar gyfer rhaglenni

teledu'r cyfnod, rhaglenni fel *Telewele* a *Llusern*." Ar eu record i Cambrian, clywir harmoni cynnes eu lleisiau ifanc i gyfeiliant strymio gitâr apelgar gan y merched eu hunain, a geiriau rhai fel y Prifardd lleol, Gwilym R. Jones, yn cael eu canu'n hynod o gelfydd ar ganeuon fel 'Heulwen Maï'. Cawsant wahoddiadau i ganu yn Lerpwl a Dulyn hefyd, a hyn i gyd tra oeddynt yn ddisgyblion ysgol. "Roedd cerddoriaeth yn bwysig iawn yn Ysgol Glan Clwyd," pwysleisia Linda, "ac roedd gennym athro cerddoriaeth gwych yn Gilmor Griffiths ac mi fyddem ni'n cael cyngherddau Nadolig a Pasg

Genethod Gwent

yn yr Eglwys Gadeiriol i lawr y ffordd o'r ysgol. Roedd hi'n amser grêt." Diddorol nodi fod aelodau Sidan, Gwreichion a Swyn ar y record gyntaf a gyhoeddwyd gan Sain o leisiau anfarwol Côr Ysgol Glan Clwyd, yn canu o'r Gadeirlan yn Llanelwy dan arweiniad Gilmor Griffiths, sef *Ganwyd Crist i'r Byd*. Dyma gyfnod y ffrogiau Laura Ashley, wrth gwrs, ac roedd Swyn yn hoff iawn o'r ffrogiau llaes, blodeuog. Meddai Linda eto:

Dwi'n cofio ni'n gwisgo top a sgert tapestri Cymreig, lliw piws a du, efo blows binc… Hefyd, dwi'n cofio mynd i Gaer i brynu ffrogiau *pinafore* hir a lliwgar, a'r ffefryn, wrth gwrs, ac unwaith eto o Gaer, oedd ein ffrogiau Laura Ashley.

Doedd Sir Fynwy'r 70au ddim yn enwog am ei siaradwyr Cymraeg, ond roedd un criw o ferched wedi cynhesu at yr iaith ac at y traddodiadau cerddorol Cymreig ac wedi gwneud tipyn o enw iddynt eu hunain fel cantorion. Genethod Gwent oedd y

grŵp, naw o ferched o Ysgol Ramadeg Pontnewydd, sef Rachel Dixon, Val Elliott, Janice Francis, Meril Hammett, Liz Herbert, Susan James, Denise John, Annette Leaman a Cheryl Walters. Cawsant eu cyflwyno i'r Gymraeg gan eu hathrawes, Lilian Jones, un ddylanwadol yn y sir, ac un o'r rhai a fu'n gyfrifol, maes o law, am sefydlu Ysgol Gyfun Gwynllyw, ysgol uwchradd Gymraeg gyntaf hen sir Gwent. Buont yn canu caneuon gwerin Cymraeg yn yr ysgol ers 1968 ac wedi ymuno â'r Urdd, y cam naturiol oedd dechrau cystadlu, a daethant yn llwyddiannus yn y gystadleuaeth grŵp yn Eisteddfod yr Urdd Pontypridd, 1973. Adroddir yn *Asbri*, Hydref 1973, sut y bu i bob un o'r merched ddysgu Cymraeg, "nid fel pwnc arholiad ond fel cyfrwng cyfathrebu naturiol, beunyddiol," ac fel y daethant yn rhan o fwrlwm y byd canu cyfoes Cymraeg gan ymddangos ar y teledu a chanu mewn nosweithiau lu yn lleol, nes bod "atsain eu lleisiau yn sisial pob afonig yn y dyffryn rhwng Pontllanfraith a

Risca…" Gwnaethpwyd recordiad preifat ohonynt, ac yn ôl Dyl Mei:

> … mae'n berl… o'r holl recordiau Cymraeg gan ferched, hon yn bendant yw'r brinnaf, ac, o bosib, yr un fwyaf difyr… y peth agosaf alla i gymharu'r sain iddo ydi trac sain y ffilm *The Wicker Man*, sef gwerin amrwd gydag islais o dristwch. Gan fod y record wedi ei gwasgu ar label preifat, alla i ddim meddwl fod mwy na rhyw 99 copi mewn bodolaeth…

Roedd gan ferched Genethod Gwent gryn falchder yn eu llwyddiant ym myd y canu Cymraeg ond balchder hefyd yn eu treftadaeth gerddorol ac ieithyddol, fel y dywedodd Valerie, un o'r aelodau, wrth *Asbri* yn 1973:

> We considered it a great achievement to win the Urdd competition, as we are not fluent Welsh speakers, and this area does not have a reputation for being pro Welsh. We hope that we proved that Welsh culture and interest is very much alive here…

Un o gantoresau amlwg y 70au oedd Rhian Rowe o Gwm Gwendraeth. Yn ogystal â bod yn aelod o'r grŵp Clychau'r Nant, daeth hefyd yn gantores unigol amlwg, a hynny yn ifanc. Yn 1974, a hithau'n bedair ar ddeg mlwydd oed, rhyddhaodd record ar label Dryw ac yn yr un flwyddyn rhyddhaodd ail record, y tro hwn ar label Afon, label lleol a ryddhaodd ddwy record arall, gan y grwpiau roc Chwys a Talcen Crych. Disgrifia Rhys Jones record Rhian Rowe ar label Afon fel "gem yn y byd gwerin cyfoes hyd heddiw a'r harmonïau cynnes a'r seiniau gitâr Hawaiaidd yn unigryw…" Rhian ei hun gyfansoddodd y brif gân ar y record, 'Cariad Coll', cân sicr ei hapêl ddegawdau yn ddiweddarach gan i'r grŵp hip hop Cymraeg, Pep Le

Pew, ddefnyddio'r rhagarweiniad i'r gân ar eu halbym *Un Tro yn y Gorllewin* a ryddhawyd yn 2004. A hithau'n dal yn ferch ysgol, teithiai Rhian Gymru a Lloegr yn canu a bu'n canu hefyd yn Nenmarc a'r Iseldiroedd. Hi oedd enillydd teitl Seren Asbri yn 1976, cystadleuaeth a oedd erbyn hynny yn rhoi llai o bwyslais ar rinweddau prydweddol merched a mwy o bwyslais ar y canu a'r gerddoriaeth! Enillodd gystadleuaeth Cân i Gymru yn 1976 ac aeth ymlaen i ganu yn yr Ŵyl Ban Geltaidd yn Iwerddon, a dau aelod o'r band Chwys yn cyfeilio iddi.

Un enw amlwg yng nghyngherddau a nosweithiau cerddorol y de ganol y 70au oedd Beti Davies o Dalyllychau. Ers iddi ennill yr 'Her Unawd Pop' yn Eisteddfod Llannon yn 1971, cynyddodd ei phoblogrwydd. Magodd brofiad perfformio drwy fod yn aelod o barti noson lawen Alawon Tâf ac aeth ymlaen i ganu mewn nosweithiau ym Mhlas Glansefin, Llangadog, yng nghwmni Meinir Lloyd ac eraill. Bu'n canu gyda Meinir yn y grŵp Aros Mae, yn ogystal ag yn y grŵp Cawl Sefin pan fuont yn fuddugol yng nghystadleuaeth Cân i Gymru yn 1977. Yn yr un cyfnod, yn Rhosgadfan, roedd merch ifanc o'r enw Pat Davies yn mwynhau rhoi geiriau beirdd lleol ar gân. Yn ddim ond un ar bymtheg oed, rhannai lwyfan gyda nifer o sêr y cyfnod, gan ymddangos hefyd ar y rhaglenni teledu *Miri Mawr* a *Cyfle*. Meddai *Asbri* amdani yn haf 1974: "… un o ychydig o sêr y canu pop yng Nghymru a ddaeth i'r amlwg o'i 'stabl' ei hun, ar ôl ei hyfforddi ei hun ar hirnosau diddan rhwng mynyddoedd Eryri…" O'r un ardal y daeth Brenda Edwards, y gantores ddall a ddaeth yn boblogaidd yng nghylchoedd canu gwlad, ac i lawr yn Sir Benfro roedd Ruth Barker, y ferch â'r llais dwfn a choeth, yn brysur iawn yn canu ar hyd a lled y sir a thu hwnt.

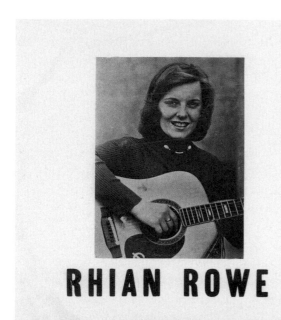

RHIAN ROWE

AROS MAE

CANAFGÂN
Ruth
BARKER

rwyf yn canu mewn **tywyllwch**

brenda edwards

Elwen Pritchard

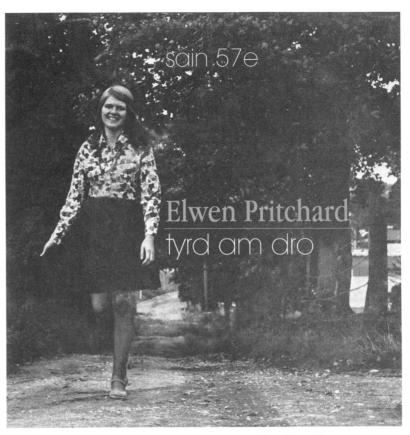

sain 57e

Elwen Pritchard
tyrd am dro

Daeth Elwen Pritchard â sain newydd a gwahanol i fyd y canu cyfoes yn 1975 pan ryddhaodd ei hunig record ar label Sain. Yr oedd eisoes wedi ennill teitl Miss Asbri yn 1973 ac yn enw amlwg yn Sir Fôn. Cafodd gymorth Alwyn Humphreys, a oedd yn athro ifanc yng Nghaergybi ar y pryd, a chriw o gerddorion amlwg a blaengar, yn cynnwys Dafydd a Gwyndaf Roberts ar y drymiau a'r bas, Hefin Elis ar y gitâr, Rhian Jones ar y ffidil, ac Alwyn ei hun ar yr allweddellau, y melotron a'r syntheseinydd, a'r canlyniad oedd record a fyddai'n denu diddordeb hyd heddiw. "Rhydd bob amser ystyr gwirioneddol a gwerth a pharch i eiriau a mynega'r stori yn effeithiol ac eglur," meddai'r diddanwr o Fôn, Charles Williams,

amdani ar gefn clawr y record, a rhwng hynny a'r ffresni gwreiddiol yn y caneuon a'r trefniannau, mae record Elwen Pritchard yn mynnu sylw a gwrandawiad o hyd.

Glan Conwy oedd cartref Ann Coates, a ddaeth yn enw ac yn llais cyfarwydd ar y radio a'r teledu yng nghanol y 70au. Canai ganeuon gwerinol a baledi yn Gymraeg ac yn Saesneg a rhyddhaodd ddwy record Saesneg ar label Westwood Recordings, label wedi ei leoli yn Nhrefaldwyn, ac un record Gymraeg, yn 1976, ar label Sir Records.

Plethyn

drwy athrylith Geraint Jarman a'r Cynganeddwyr, pync gan y grŵp dadleuol Trwynau Coch a rhagor o roc gan Crysbas, Eliffant, Ail Symudiad ac eraill. Cychwynnodd cylchgrawn newydd *Sgrech* yn 1978 i adlewyrchu'r don newydd o gerddoriaeth a cherddorion, a dechreuodd Radio Cymru ddarlledu. Roedd ambell ferch yn mentro i fyd y canu roc Cymraeg, byd a oedd erbyn hyn yn sicr yn tueddu i fod yn fyd gwrywaidd ar y cyfan. Yn y grwpiau Tocyn 6 a Jaffync, ddiwedd y 70au, gwelwyd tair merch, sef Ann, Margaret a Rhian Jones, yn amlwg, ac yn y grŵp Trydan, a ryddhaodd sengl ar label Sain yn 1980, roedd Sharon Jones, Linda Williams a Carol Jones yn amlwg fel cantorion a Carol hefyd yn chwarae'r gitâr rythm, rhywbeth anarferol ar y pryd i ferch.

Clywodd blynyddoedd olaf y 70au yng Nghymru gerddoriaeth werin yn cael adfywiad, a grwpiau a chantorion gwerin fel Mynediad am Ddim ac Ar Log yn cael digon o gyfle i ganu mewn clybiau a gwyliau yma yng Nghymru a'r gwledydd Celtaidd. Daeth canu pur a didwyll y lodes o Faldwyn, Linda Griffiths, i glyw Cymru gyfan drwy'r record *Blas y Pridd*, record gyntaf y grŵp Plethyn, a ffurfiwyd pan ddaeth Linda a'i brawd John a'u cymydog Roy at ei gilydd yn Aelwyd Penllys i ganu dan ddylanwad y gweinidog a'r canwr gwerin Elfed Lewys. Clywyd seiniau *reggae*

Cynhaliwyd noson Gwobrau *Sgrech* am y tro cyntaf yn 1979 a daeth dwy gantores i flaen y llwyfan, dwy a fyddai'n llywio cwrs hanes cerddoriaeth gyfoes Cymru am ddegawdau i ddod. Caryl Parry Jones oedd un, y ferch o Ffynnongroyw a fagodd brofiad drwy gydol y 70au gydag amrywiol grwpiau, a'r llall oedd Rhiannon Tomos, y ferch o Gaernarfon a ffrwydrodd ar y sin megis tân gwyllt.

Wedi i Injaroc ddod i ben yn 1977, torrodd Caryl ei chŵys ei hun. Daeth yn gyflwynydd teledu ar raglenni plant, daeth i gysylltiad â rhagor o gerddorion dawnus a ffurfiwyd y grŵp Bando. Y cerddorion eraill oedd Rhys Ifans, Huw Owen, Gareth Thomas, Steve Sardar a Martin Sage, tri Chymro Cymraeg a dau o gefndir di-Gymraeg, a chlywyd seiniau ffync cyfoes y cyfnod ar eu record gyntaf

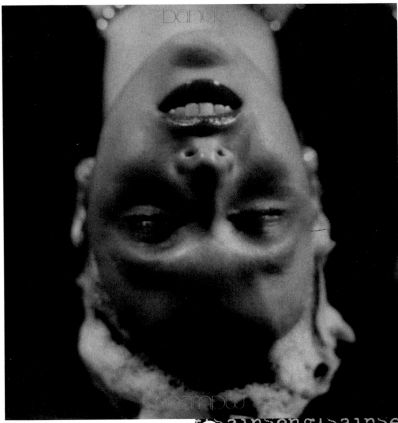

ar label Sain yn 1980, a oedd yn cynnwys y caneuon bythol wyrdd 'Space Invaders' ac 'Wsti Be'. Daeth record hir gan Bando, *Hwyl ar y Mastiau*, yn yr un flwyddyn, a hynny mewn cyfnod o anniddigrwydd gwleidyddol unwaith eto a Chymru wedi gwrthod datganoli yn refferendwm 1979. Adlewyrchwyd hyn a nifer o bynciau gwleidyddol eraill y dydd yng nghaneuon y grŵp, a chynhwysa'r record hefyd glasuron fel 'Pan Ddaw Yfory'. Erbyn cyhoeddi ail record hir Bando, *Shampŵ*, yn 1982, record oedd yn cynnwys y caneuon bythol wyrdd 'Nos yng Nghaer Arianrhod' a 'Chwarae'n Troi'n Chwerw', roedd Caryl wedi gwneud ei marc fel un o brif gyfansoddwyr caneuon cyfoes Cymraeg.

Caryl Parry Jones

Rhiannon Tomos a'r Band

lwyfan yn cynrychioli rhywbeth cyffrous, mwy tywyll. Yn ôl Glyn Tomos, sylfaenydd a golygydd y cylchgrawn *Sgrech*:

> Gyda'i phresenoldeb llwyfan, yn ogystal â'i llais arbennig, a chyfraniad cyfoethog y band yn gefn iddi, daeth Rhiannon yn gantores roc amlwg a chyffrous iawn… Dyma gyfnod pan oedd yn rhywbeth dieithr yn y sin Gymraeg i ferch ganu caneuon roc gyda band roc.

1979 oedd y flwyddyn pan glywodd clustiau Cymru ganu cynhyrfus ac arloesol Rhiannon Tomos am y tro cyntaf. Perfformiodd yn Sesiwn *Sgrech* y flwyddyn honno a hefyd enillodd dlws prif gantores unigol Gwobrau *Sgrech*. Roedd y ddwy gân ar ei record sengl ar label Sain yn 1980, sef 'Gormod i'w Golli' a 'Cwm Hiraeth', yn ddatganiad cerddorol gan ferch oedd yn cynnig rhywbeth gwahanol. Defnyddiai ei llais fel na chlywyd merch yng Nghymru yn ei wneud o'r blaen, gan luchio unrhyw elfen o brydferthwch a cheinder sain i'r gwynt, ac roedd ei hosgo gwyllt a hyderus ar

Ar ei record hir ar label Sain, *Dwed y Gwir*, clywyd roc, blŵs a nifer o ddylanwadau eraill dan ddwylo medrus cerddorion ei band ardderchog, sef Meredydd Morris a Len Jones ar y gitarau, Gruff Owen a Mark Jones ar y gitâr fas a Graham Land ar y drymiau. Hawliai Rhiannon y llwyfan ac roedd yn ei helfen o dan y goleuadau ar lwyfannau mawr y cyfnod. Dyma ddechrau chwyldroadol i ddegawd newydd o gerddoriaeth gyfoes Gymraeg, ac fel arloeswyr benywaidd cynnar y 60au, roedd merched Cymru 1980 yn mynnu cael eu clywed ar gân…

... bell ffordd ...

... Hopkin ... cyd- ... Nos ... yng Nghymru daeth ... artistiaid newydd i'r ... mwy a mwy o gan ... Gymraeg yn curo'r dws ... V. Morgan ... ehangach nag a ... ... Cymru — canwyr ... Linda Jenkins ... ... yna erioed ... ... Nghymru, ond ... opera a'r corau ... mwy a mwy ... nawr i ganu ... 'Dyw uchelgais ... ... mwy na chw ... ... y Cymro, ond ... safon ... golygon tua ... ... Nia Hughes ... am ... res o bedair ... Disc a Dawn ...

1965-1980

Disgyddiaeth

Lleisiau merched pop Cymru'r 60au a'r 70au ar labeli recordio Cymru

WELSH TELDISC

CAMBRIAN (CSP)

Triban, *Hello Sunshine* (CSP 705) 1969

Triban, *Leaving on a Jet Plane* (CSP 707) 1969

Y Sŵn, *Gyda Mi* (CSP 708) 1970

Blodau Banw, *Caru ar y Ffôn* (CSP 709) 1970

Folk Scene, *Deryn Gwyn* (CSP 708) 1970

Mary Hopkin, *Pleserau Serch* (CSP 712) 1970

Christine Allyn, *Rhosyn Gwyn* (CSP 713) 1970

Caroline, *'Nôl i Gymru* (CSP 716) 1970

Rosalind Lloyd, *Hen Gyfrinach* (CSP 718) 1971

Triban, *Sunday Morning Coming Down* (CSP 719) . 1971

Iris Williams a'r Canolwyr, *Pererin Wyf* (CSP 720) . 1971

Janet Rees, *Coed y Maes* (CSP 722) 1972

Maralene Powell a Gareth Edwards (CSP 724) . . . 1972

Tammy Jones, *Hogia Ni* (CSP 725) 1972

Iris Williams, *Doed a Ddêl* (CSP 727) 1972

Yr Enfys (CSP 728) 1972

Janet Rees, *Grist Bendigedig* (CSP 729) 1972

Eleri Llwyd, *Mae Bywyd yn Galed* (CSP 730) 1972

Maralene Powell,

    It Must be Love, it Must be Paradise (CSP 734) . 1972

Blodau'r Ffair, *Mae'r Dyddiau Mor Fyr* (CSP 735) . . 1972

Janet Rees, *O Fy Ffrind* (CSP 745) 1975

CAMBRIAN (CEP)

Y Pelydrau, *Caneuon Serch Y Pelydrau* (CEP 401) . . 1967

Glenys a Gwenan,

    O Na Bai fy Nghymru'n Rhydd (CEP 402) 1967

Y Pelydrau (CEP 405) 1967

Meinir Lloyd, *Canu Penillion* (CEP 408) 1968

Iris Williams, *Caneuon Gwerin* (CEP 413) 1968

Mary Hopkin, *Llais Swynol* (CEP 414) 1968

Y Pelydrau, *Eiliad i Wybod* (CEP 416) 1968

Joyce Jones,

    Caneuon Ysgafn gan Joyce Jones (CEP 419) . . . 1968

Mary ac Edward (CEP 420) 1968

Mari Griffith, *Carnival* (CEP 423) 1968

Tony ac Aloma, *Mae Gen i Gariad* (CEP 425) 1968

Tony ac Aloma, *Caffi Gaerwen* (CEP 427) 1968

Y Perlau (CEP 428) 1968

Y Triban, *Paid â Dodi Dadi ar y Dôl* (CEP 429) 1968

Doreen Davies, *Llais Swynol* (CEP 433) 1969

Tannau Tawela (CEP 434) 1969

Evelyn Bridger (CEP 435) 1969

Y Diliau (CEP 436) 1969

Tony ac Aloma (CEP 440) 1969

Y Perlau (CEP 443) 1969

Meinir Lloyd, *Watshia di dy Hun* (CEP 447) 1969

Iris Williams, *All My Trials* (CEP 449) 1969

Jane Evans a Diliau Dyfrdwy, *O Gymru* (CEP 454) . 1969

Y Triban (CEP 456) 1969

Iris Williams, *Christmas Carols* (CEP 457) 1969

Y Melinwyr (CEP 438) 1970

Tony ac Aloma, *Diolch i Ti* (CEP 462) 1970

Tony ac Aloma, *Oes Mae Na Le* (CEP 466) 1970

Rosalind Lloyd, *Llais Swynol* (CEP 467) 1970

Y Triban (CEP 472) 1970

Y Tri o Ni (CEP 463) 1971

Janet Rees, *Llais Swynol* (CEP 465) 1971

Tony ac Aloma (CEP 473) 1971

Maralene Powell (CEP 475) 1971

Y Triban (CEP 478) 1972

Perlau Tâf (CEP 481) 1972

Perlau Tâf (CEP 486) 1972

Leah Owen, *Llais Swynol* (CEP 483) 1973

Y Pelydrau, *Coffa Hedd Wyn* (CEP 487) 1973

Swyn (CEP 491) 1975

CAMBRIAN (Recordiau hir)

Y Pelydrau, *Disgleirdeb* (MCT 622) 1967

Y Triban (MCT 592) 1969

Glanville Davies a'i ffrindiau,

    Noson yn ei Gwmni (CLP 587) 1969

Mary Hopkin, *From Wales With Love* (MAEP 210) . 1970

Tony ac Aloma (CLP 602) 1971

Blodau'r Ffair (MCT 215) 1972

Y Triban, *Rainmaker* (MCT 218) 1972

Y Triban, *Goreuon y Triban* (MCT 644) 1978

DRYW (WRE)

Y Meillion, *Caneuon Modern* (WRE 1005) 1965

Beti a'r Gwylliaid Gleision,

    Cymry'n Canu, '66 (WRE 1009) 1966

Helen Wyn, *Caneuon i'r Plant* (WRE 1011) 1966

Nia ac Aled (WRE 1013) 1966

Margaret Williams (WRE 1016) 1966

Olwen Lewis (WRE 1022) 1967

Meinir Lloyd, *Yr Hen a'r Newydd* (WRE 1024) 1967

Beth Leyshon (WRE 1025) 1967

Blodau'r Ffair (WRE 1029) 1967

Treflyn a Siwsan (WRE 1030) 1967

Caryl Owens (WRE 1037) 1968

Nia ac Aled (WRE 1038) 1968

Dail yr Olewydden (WRE 1043) 1968

Beti a'r Gwylliaid Gleision,

    Cymry'n Canu, '68 (WRE 1047) 1968

Adar y Dyffryn (WRE 1049) 1968

Y Gemau (WRE 1050) 1968

Y Tlysau (WRE 1052) 1968

Margaret Williams, *Caneuon Ysgafn* (WRE 1059) . 1968

Y Briallu (WRE 1060) 1968

Y Pelydrau, *Dewch i Ddawnsio* (WRE 1056) 1969

Y Cyffro (WRE 1063) 1969

Y Trydan (WRE 1064) 1969

Y Bara Menyn (WRE 1065) 1969

Y Bara Menyn, *Rhagor o'r Bara Menyn* (WRE 1072) 1969

Pat a Meirion, *Mi Ganaf Gân* (WRE 1074) 1969

Y Talisman (WRE 1080) 1970

Y Diliau (WRE 1081) 1970

Y Canu Coch (WRE 1083) 1970

Yr Awr (WRE 1088) 1970

Margaret Williams, *Pwy Fydd Yma?* (WRE 1090) . . 1970

Ann Morris (WRE 1093) 1970

Y Diliau (WRE 1096) 1970

Yr Awr, *Rhif 2* (WRE 1098) 1971

Aled, Reg a Nia (WRE 1100) 1971

Gwenann (WRE 1102) 1971

Sioned a Lowri (WRE 1106) 1971

Einir Wyn Owen (WRE 1115) 1971

Janet Humphreys (WRE 1117) 1972

Y Gwenwyn (WRE 1120) 1972

Y Diliau, '72 (WRE 1121) 1972

Eirian a Meinir (WRE 1126) 1972

Y Cymylau (WRE 1127) 1972

Triawd y Grug (WRE 1130) 1972

Y Gwenwyn, *Diferyn Arall* (WRE 1136) 1972

Eirian a Meinir (WRE 1152) 1972

Y Gwyngyll (WRE 1157) 1974

Parti Glannau Colwyn (WRE 1160) 1974

DRYW (WRL)

Rosalind Lloyd (WRL 557) 1974

Sêr Cymru (WRL 523) 1976

DRYW (WSP)

Y Pelydrau, *Roced Fach Ni* (WSP 2002) 1969

Y Pelydrau, *Hwrli Bwrli* (WSP 2003) 1970

Y Diliau, *Rebel* (WSP 2007) 1971

Iris Williams, *Daeth Iesu o'i Gariad* (WSP 2010) . . . 1972

Iris Williams, *Troi* (WSP 2011) 1972

Clychau'r Nant (WSP 2012) 1973

Y Triban (WSP 2013) 1973

Janet Rees (WSP 2014) 1973

Iola a Nia (WSP 2023) 1973

Rhian Rowe (WSP 2019) 1974

Yr Arian (WSP 2021) 1974

TŶ AR Y GRAIG

Y Clychau (TAG EP 232) 1969

Eirlys Parri (TAG EP 237) 1970

Lleisiau'r Llwyn (TAG EP 239) 1971

Genod Ni (TAG EP 244) 1972

Yr Awelon (TAG EP 247) 1973

QUALITON

Y Diliau, *Caneuon y Diliau* (QEP 4043) 1965

Y Meillion,
    Young Wales Sings Volume 3 (QEP 4044) 1965

Y Diliau, *Dwli ar y Diliau* (QEP 4051) 1967

Nia a Reg (QEP 4053) 1967

RECORDIAU'R DDRAIG

Brethyn Cartref (DRAIG 6002) 1969

Jean, Linda a Graham (DRAIG 6004) 1969

RECORDIAU AFON

Rhian Rowe (RAS 004) 1974

WESTWOOD RECORDINGS

Y Dilfor (WRS 002) 1973

SIR RECORDS

Ann Coates, *Aderyn Eira* (SR 3005) 1976

NEWYDDION DA

Heather Jones, *Heather* (ND 2) 1971

SAIN (Senglau)

Y Nhw, *Siwsi* (SAIN 8) 1970

Eirlys Parri, *Blodau'r Grug* (SAIN 12) 1970

Eleri Llwyd (SAIN 15) 1971